José Maria Eça de Queirós nació el 25 de noviembre de 1845 en Póvoa de Varzim (Portugal). Cursó estudios en la facultad de derecho de la Universidad de Coimbra, donde entró en contacto con las corrientes romántica y positivista. Es entonces cuando conoce a Antero de Quental, escritor de la denominada Generación del 70, que será un personaje clave en su carrera literaria. Durante la época universitaria escribe crónicas periodísticas y ensayos. Entre 1869 y 1870 realiza un largo viaje por Oriente, en el que recoge abundante material para sus escritos. A su regreso, y después de una estancia en Leiría, donde desempeña un cargo burocrático, se traslada a vivir a Lisboa y en 1872 ingresa en el cuerpo diplomático, prestando servicios en Cuba, Macao, Estados Unidos, Canadá y, por último, Inglaterra. Figura principal de la literatura portuguesa, sobresale por la ironía y naturalidad de sus escritos. Entre su abundante producción literaria destacan *El crimen del padre Amaro* (1875), *El primo Basilio* (1878), *La reliquia* (1887), *Los Maia* (1888) y *La ciudad y las sierras*, de publicación póstuma. En 1888 fue destinado a París como cónsul, ciudad en la que moriría el 17 de agosto de 1900.

Elena Losada Soler (Barcelona, 1958) es profesora titular de literatura portuguesa en la Universidad de Barcelona, donde se doctoró con una tesis sobre la recepción en España de la obra de Eça de Queirós en 1986. Su área de investigación principal es la literatura portuguesa del siglo XIX y en ese campo ha publicado varios textos sobre Antero de Quental, Eça de Queirós, Camilo Castelo Branco o Cesário Verde.

EÇA DE QUEIRÓS

Alves & C.ª

Introducción de
ELENA LOSADA

Traducción de
JUAN LÁZARO

PENGUIN CLÁSICOS

Título original: *Alves & C.ª*

Primera edición en Penguin Clásicos: febrero de 2017

PENGUIN, el logo de Penguin y la imagen comercial asociada son marcas registradas
de Penguin Books Limited y se utilizan bajo licencia.

© 2007, Rey Lear, S. L.
© 2011, 2017 Penguin Random House Grupo Editorial, S. A. U.
Travessera de Gràcia, 47-49. 08021 Barcelona
© 2007, Juan Lázaro, por la traducción, cedida por Rey Lear, S. L.
© 2017, Elena Losada, por la introducción

Printed in Spain – Impreso en España

ISBN: 978-84-9105-319-4
Depósito legal: B-327-2017

Compuesto en Comptex & Ass., S. L.
Impreso en Liberdúplex
Sant Llorenç d'Hortons (Barcelona)

PG 5 3 1 9 4

Penguin
Random House
Grupo Editorial

Índice

Introducción

«¡Qué cosa tan prudente es la prudencia!»
Alves & C.ª, un guiño a la novela de adulterio

1. Eça de Queirós

¿De veras queremos ver algo que sería mejor no haber visto?
¿Y si podemos convencernos, o nos convencen, de que no
vimos lo que vimos? Ésta es la maliciosa pregunta que José
Maria de Eça de Queirós (Póvoa de Varzim, 1845 – París,
1900), sin duda el máximo representante del realismo literario en Portugal, nos plantea en *Alves & C.ª*, un texto breve,
en apariencia un *divertimento*, pero lleno de cargas de pro-
fundidad y de giros muy interesantes sobre el gran tema de la
narrativa de la segunda mitad del siglo XIX, es la crítica del
adulterio femenino como elemento demoledor de los tres pilares básicos en los que se asienta el pensamiento burgués: orden, familia y trabajo. Pero ¿qué pasa si conseguimos convencernos de que en realidad no hemos sido engañados? Pues tal
vez seamos más felices, como descubre Godofredo Alves, el
protagonista de esta historia, quien proclama satisfecho, al final, un axioma extraordinario: «¡Qué cosa tan prudente es la
prudencia!» (p. 171).

Antes de analizar esta frase llena de sentido común —¿o de cobardía?—, debemos empezar, sin embargo, por presentar a Eça de Queirós, hecho que tal vez resultara innecesario si no fuera por ese tópico, que quizá es conveniente empezar a revisar, sobre el mutuo desconocimiento entre las literaturas portuguesa y española.

Eça de Queirós nació en 1845 en Póvoa de Varzim, una villa pesquera, hoy turística, al norte de Oporto. Era hijo natural nacido de una extraña relación, nunca bien explicada y un tanto rocambolesca, entre el magistrado José Maria de Almeida Teixeira de Queirós y Carolina Pereira de Eça, ambos por aquel entonces solteros, con una buena situación económica y sin ningún impedimento aparente para casarse. De hecho, cuatro años después de su nacimiento, sus padres contrajeron por fin matrimonio, pero el niño siguió viviendo con sus abuelos paternos y nunca se incorporó plenamente al núcleo familiar. Podríamos buscar proyecciones de esta situación, como se ha hecho a menudo y aun a riesgo de abusar del psicoanálisis, en el entorno familiar de sus personajes, con frecuencia huérfanos, sin hermanos, seres solitarios criados por tíos o abuelos.

Con la excepción de las circunstancias de su nacimiento, la biografía de Eça de Queirós carece de grandes sucesos y de momentos espectaculares. Tras una infancia solitaria en un internado de Oporto, estudió derecho en Coímbra entre 1861 y 1866. La ciudad universitaria era entonces un microcosmos en ebullición, donde las polémicas literarias y políticas se sucedían y más de un rector vio peligrar su integridad física, pero esa efervescencia no era general en la política del país. El Portugal que ve nacer a Eça de Queirós ya no es el escenario de las exaltadas luchas entre liberales y absolutistas de principios de siglo. Bajo la monarquía constitucional de Pedro V y, sobre todo, de Luis I, la política portuguesa se remansa y se establece un sistema de gobierno de alternancia bipartidista muy semejante al de la Restauración española, entre los «regeneradores» y los «progresistas». Es la asunción del triunfo burgués, blanco de los ataques de Eça en sus primeras novelas. En medio de este marasmo controlado por un férreo caciquismo rural, que Eça de Queirós plasmará con maestría en su novela *La ilustre casa de Ramires*, sólo la aparición en 1874 del Partido Republicano introduce elementos de desestabilización y de renovación que irán aumentando a medida que nos acercamos al final de siglo, y que culminarán con la proclamación de la República en 1910.

En 1866, recién licenciado, empieza a publicar en la *Gazeta de Portugal* sus primeros textos, que serán recogidos póstumamente bajo el epígrafe de *Prosas bárbaras*,[1] título sugerido por él mismo, ya en su madurez, con nostálgico distanciamiento. Al año siguiente funda y dirige en Évora —de hecho lo elabora en su totalidad— el periódico de oposición gubernamental *O Distrito de Évora*, verdadera escuela en la que el joven Eça aprende sociología, política y también practica la variedad de registros que la prosa periodística le exige.

En 1869 tiene lugar uno de los hechos cruciales de su vida. El joven Eça de Queirós, flamante corresponsal del *Diário de Notícias*, y su amigo y futuro cuñado el conde de Resende, viajan a Suez para asistir a la inauguración del canal, la gran obra de ingeniería que alimentó el mito del progreso y el or-

1. Véase la lista cronológica de las obras de Eça de Queirós incluida en este prólogo.

gullo científico de la Europa burguesa y colonial, al tiempo que fortaleció las bases del pensamiento positivista de mediados de siglo. Los dos amigos embarcaron en Lisboa el 23 de octubre de 1869 y regresaron el 3 de enero de 1870. Visitaron Egipto (Alejandría y El Cairo), asistieron a los fastos inaugurales del canal y prolongaron después su viaje hasta Palestina.

Este viaje, tan cargado de resonancias artísticas, siguiendo las huellas de Gérard de Nerval y de Flaubert, marca un hito en la evolución de la estética queirosiana. Los folletines de la *Gazeta de Portugal* son todavía textos de iniciación claramente romántico-baudelairianos y se perciben con intensidad en ellos las influencias de las lecturas que los alimentaron. A su regreso de Egipto y tras una lectura minuciosa de Flaubert, Eça cambia de rumbo estético:

> Este paralelo con Flaubert tiene razón de ser. Leyendo sus novelas Eça, antes de Oriente, encontró una literatura enraizada en la realidad. *Madame Bovary*, esa fue entonces la obra que más le entusiasmó. La visión necesita ser disciplinada. Flaubert le enseñó a ver. Le faltaba tener algo que ver. Tan hondamente había actuado ya sobre él el magisterio del maestro de Croisset que ciertos detalles de Oriente Eça los ve como Flaubert los vio.[2]

Por otra parte, este viaje real dio muchos frutos literarios. La posterior actividad periodística de Eça le debe mucho. Desde las crónicas «De Port Said a Suez» para el *Diário de Notícias* en 1870 hasta la serie de artículos «Los ingleses

2. João Gaspar Simões, *Vida e Obra de Eça de Queirós*, Lisboa, Livraria Bertrand, 1973, p. 203.

en Egipto» (1882) publicados en la *Gazeta de Notícias* de Río de Janeiro y recogidos en *Cartas de Inglaterra* vemos el efecto de este viaje. También su obra ficcional es un constante testimonio de esa aventura mediterránea. Además de los casos en los que el viaje articula el texto, como en *La reliquia* y en *La correspondencia de Fradique Mendes,* encontramos esas mismas huellas en el periplo que Carlos da Maia (*Los Maia*) emprende para «hacer esa cosa estúpida y siempre eficaz que se llama distraerse». El protagonista de *El mandarín,* para acallar sus remordimientos, viaja también al Próximo Oriente, y acabará por levantar su tienda «ante las murallas evangélicas de Jerusalén» y visitará «ese largo Egipto monumental y triste como el corredor de un mausoleo». Este viaje no fue el único que realizó Eça de Queirós, cuya vida transcurrió bajo el signo del nomadismo profesional, como diplomático de carrera que era, y, sin embargo, sólo este periplo norteafricano dejó huella en su obra; la literatura alimenta a la literatura, y el «viaje a Oriente» tenía una tradición y un significado del que carecía, por aquel entonces, el viaje por Estados Unidos, Canadá y América Central que Eça llevó a cabo entre mayo y noviembre de 1873, sin que dejara ningún rastro en su narrativa de ficción.

Un año después de este viaje a Oriente, Eça de Queirós participó en uno de los hitos más significativos de la cultura portuguesa de la segunda mitad de siglo: las «Conferencias Democráticas» en el casino de Lisboa. Las «conferencias del casino» supusieron la concreción práctica de las líneas programáticas que Antero de Quental, poeta y filósofo, compañero de estudios de Eça en Coímbra, había aportado a la tertulia que, bajo el nombre de «El Cenáculo», reunía a buena parte de la futura «generación del 70». Bajo la guía de Antero y la influencia del pensamiento de Proudhon, elaboraron un programa de renovación nacional que tenía como eje la necesidad de romper el aislamiento de Portugal y de integrarlo en los movimientos culturales, políticos y sociales que agitaban Europa. El propio Antero se encargó de exponer el manifiesto de este nuevo ideario en la conferencia inaugural del ciclo, el 22 de mayo de 1871, recogido en un texto redactado por él mismo y firmado, entre otros, por Teófilo Braga, Eça de Queirós, Manuel de Arriaga, Oliveira Martins y Jaime Batalha Reis.

La conmoción provocada por este ciclo de conferencias, que incluía títulos tan provocativos como «Causas de la decadencia de los pueblos peninsulares» o «Los historiadores críticos de Jesús», fue tal que un decreto ministerial prohibió la continuación del ciclo y abortó el proyecto el 26 de junio del mismo año. Por aquel entonces Eça de Queirós ya había pronunciado su conferencia, que era la cuarta. Sólo podemos acceder a su contenido a través de las reseñas de prensa, ya que debió de basarse en un mínimo guión nunca publicado. El título también deja dudas: algunos periódicos reseñaron «La moderna literatura»; otros, «El realismo como nueva expresión del arte». En cualquier caso, la conferencia recoge el punto en que se encontraba la evolución literaria de Eça en 1871 y es también el primer análisis sobre el realismo como corriente literaria que se hace en Portugal. Siguiendo a Proudhon, Eça aboga por un arte revolucionario: frente a la decadencia del romanticismo, el arte debe volver a la realidad, describirla y actuar sobre ella. Se trata de un eclecticismo entre las teorías sociales de Proudhon y las ideas de Taine sobre la influencia de los factores extraliterarios en la literatura. Si los periodistas reseñaron bien, lo que Eça propugnaba en 1871 era una simbiosis entre realismo y naturalismo, en la cual el ideal literario consistía en describir la realidad para, de acuerdo con una tesis ideológica previa, transformarla.

La conferencia de Eça de Queirós desencadenó una polémica sobre la «nueva expresión del arte» que enfrentó a realistas y románticos. Pero la conferencia iba más allá del ataque a la literatura establecida, pues era el prólogo teórico a su propia producción ficcional entre 1874 —fecha del cuento «Rarezas de una muchacha rubia»— y 1880 —inicio de su alejamiento del realismo con *El mandarín*—, época a la que corresponden sus dos grandes novelas realistas: *El crimen del padre Amaro* y *El primo Basilio*.

El realismo-naturalismo portugués, que tiene, pues, como fecha *a quo* esta conferencia de Eça, presenta puntos en común, pero también alguna notable diferencia, con el caso español. Para ambos, el naturalismo es una estética íntimamente relacionada con una ética, la del progresismo positivista de la segunda mitad del siglo, y en algunos autores, no en todos, está cercana al pensamiento socialista o anarquista. La novela, género literario por excelencia del naturalismo, se convierte en un arma «científica» para la transformación de la sociedad. Apoyada en la fisiología —Claude Bernard, *Introducción al estudio de la medicina experimental*—, en el pensamiento político —Proudhon—, en la historia y en la filosofía —Taine— y en las ciencias naturales —Darwin—, la narrativa naturalista parte de un apriorismo: mostrar los aspectos más perversos y nefastos de la sociedad para que ésta, ante tan terribles retratos, se vea impelida, como consecuencia de esa catarsis, a transformarse. La novela naturalista es, pues, de tesis, y aspira a una regeneración social y nacional. En España y en Portugal la coexistencia de un romanticismo tardío con un realismo también tardío frente a un naturalismo que llegó a su tiempo produjo una simultaneidad de las tres estéticas y también un inevitable conflicto con las corrientes idealistas.

Pero hay algunas diferencias significativas. El realismonaturalismo español es un concierto polifónico con varias voces al mismo nivel. Galdós no apaga a Clarín ni éste al primero, y se oyen también nítidas las voces de Pardo Bazán, de Blasco Ibáñez y de sus oponentes, Valera y Pereda. El realismo-naturalismo portugués está prácticamente a cargo de Eça de Queirós, seguido por un coro a gran distancia: Teixeira de Queirós, Júlio Lourenço Pinto, José Augusto Vieira y Abel Botelho, todos ellos mucho más naturalistas *strictu sensu* que Eça.

Los naturalistas portugueses se agruparon alrededor de la *Revista de Estudos Livres*, dirigida por Teófilo Braga y Teixeira Bastos, en la que en 1885 aparecieron una serie de artículos bajo el epígrafe genérico de «Novelistas naturalistas». En torno a esos años (teniendo en cuenta que en 1875 Eça de Queirós publica la primera versión de *El crimen del padre Amaro*; en 1878, *El primo Basilio*; y en 1880, la tercera y definitiva versión de *El crimen del padre Amaro*) se sitúa la polémica del naturalismo en Portugal; una polémica que también afecta, por esa misma época, a España. Es importante destacar que, en ambos países, la introducción de las nuevas corrientes estéticas se produce en un marco de controversia casi violenta. La oposición que existe entre Pardo Bazán y Clarín de un lado (por mencionar sólo dos nombres) y Valera y Pereda del otro también se produce en Portugal entre Eça de Queirós (con reticencias), Lourenço Pinto y Fialho de

Almeida frente a Pinheiro Chagas, Latino Coelho y Camilo Castelo Branco. Casi todos estos escritores naturalistas adoptaron una actitud ambigua de atracción-rechazo ante la obra de Eça de Queirós. Admiraron sus primeras obras, las más cercanas al credo oficial, aunque ya en ellas señalaron «desviaciones» de la ortodoxia naturalista, como es el caso de la ironía. Tras la publicación de *El mandarín* (1880) se produjo la ruptura.

Después del revuelo provocado por las «conferencias del casino», Eça de Queirós cerró una etapa, la de los estudios, las tertulias y la agitación social y cultural para entrar en la que será, ya para el resto de su vida, su profesión: la carrera diplomática. El 16 de marzo de 1872 fue nombrado cónsul de Portugal en La Habana y el 9 de noviembre tomó posesión de su cargo. Su carrera diplomática se desarrolló siempre en un discreto nivel, sin implicaciones políticas, sin grandes destinos ni embajadas de primer orden, pero facilitó dos circunstancias de gran influencia en su obra: la posibilidad de independizar creación literaria y necesidad económica y la de alejarse físicamente de Portugal.

Eça no será, pese a sus constantes quejas de dificultades económicas, un «profesional» de la narrativa como Camilo Castelo Branco o Balzac. Podrá permitirse gestar una novela, como es el caso de *Los Maia*, durante ocho años, corregir de forma obsesiva una y otra vez los manuscritos y las galeradas sucesivas hasta convertirse en el terror de los tipógrafos en una perpetua busca de la palabra precisa, de la expresión más sugerente.

Si hay algo que caracteriza en esencia la prosa de Eça de Queirós es lo que Marichal llamó la «voluntad de estilo», el ansia de crear una forma de expresión que fuera a la vez personal, nueva y perfecta. La voluntad de estilo es para él algo que trasciende la pura perfección formal. Eça rehúye siempre en sus páginas la confesionalidad directa, la expresión de un yo sentimental. La ironía, rasgo principal del estilo queirosiano, es un arma distanciadora; no es posible involucrarse íntimamente en una situación y contemplarla de un modo irónico al mismo tiempo. Eça optó por esa visión distanciada de la realidad pero, a través de su obsesión por la palabra, expresó su «paisaje interior».[3] Bajo las fases en apariencia contradictorias de la evolución literaria queirosiana —Eça romántico, naturalista, modernista, látigo de burgueses, cruel ridiculizador de la Iglesia burocratizada o biógrafo de santos—, fluye una única corriente común, más profunda que la temática y la adscripción a una corriente literaria: la constante voluntad de crear una prosa que fuera, como la define su *alter ego* Fradique Mendes, «algo cristalino, aterciopelado, ondulante, marmóreo, que solo, por sí mismo, plásticamente, creara una absoluta belleza, y que, expresivamente, como palabra, lo pudiese traducir todo, desde los más fugaces tonos de luz hasta los más sutiles estados del alma».[4] Esta «religión de la forma», en terminología queirosiana, es lo más sobresaliente de su obra, lo que la levanta por encima de la media de los novelistas de su época y lo que hace que, más allá de la trama de su ficción, de las anécdotas del argumento, se pueda releer una y cien veces una página queirosiana encontrando en ella siempre algo nuevo. Como dijo Unamuno: «En Eça de Queirós hay muchas páginas,

3. Ernesto Guerra da Cal, *Língua e estilo de Eça de Queiroz*, Coímbra, Livraria Almedina, p. 1981, p. 52.
4. José Maria de Eça de Queirós, *La correspondencia de Fradique Mendes*, Barcelona, Destino, 1995, p. 59.

muchísimas, que tienen valor por sí. Se puede ojear al azar, por aquí y por allá, una novela de Eça de Queirós. Cada perla del collar tiene valor de por sí».[5]

Para la creación de este lenguaje que es en realidad, como decía Flaubert, una forma de pensar, Eça contó con dos maestros principales: Flaubert y Almeida Garrett (1799-1854). La influencia de Flaubert fue percibida de inmediato por los críticos, tanto por los favorables, que apoyaban la cosmopolitización de la literatura portuguesa, como por los desfavorables, que lo acusaron de empobrecer y afrancesar el léxico portugués. Eça de Queirós comparte con el autor de *Madame Bovary* el culto a estilo. Para Flaubert, la prioridad del arte sobre la vida era total y, aunque de una forma menos radical, también lo era para el autor portugués. La influencia de Garrett pasó más desapercibida, pese a ser esencial y proceder de su misma tradición literaria y lengua. Almeida Garrett fue durante el primer romanticismo el verdadero renovador del portugués escrito, vio con claridad el estancamiento provocado por el divorcio existente entre lengua escrita y lengua hablada y trató, sobre todo en su obra más destacada, *Viajes por mi tierra*, de reducir esta distancia. Garrett tenía además, como el propio Eça, una visión dialéctica de la realidad, un antidogmatismo a la vez racional e instintivo. A ambos la vida se les ofrecía en una multitud de aspectos. Para captar esa realidad facetada y poliédrica era necesario encontrar unas fórmulas dúctiles, que permitieran aprehender el sentido fluente de la existencia, fórmulas literarias que, como la adjetivación binaria y ternaria o el juego

5. Miguel de Unamuno, «El sarcasmo ibérico de Eça de Queirós», en *Eça de Queiroz: In Memoriam*, Eloy do Amaral y M. Cardoso Martha, coords., Coímbra, Atlântida, 1947, p. 387.

surgido de la yuxtaposición de un adjetivo objetivo y otro de sugerencias subjetivas, permitieran exponer los diversos ángulos de la percepción. Eça fue acusado muchas veces de ser un escritor de vocabulario pobre, lo cual resulta objetivamente cierto si se compara con la exuberancia léxica de Camilo Castelo Branco. Su defensa fue una paráfrasis de las bienaventuranzas: «Bienaventurados los pobres de léxico porque de ellos es el reino de la gloria».[6] En realidad se trataba de defender una prosa combinatoria, en la que pocas unidades, sabiamente combinadas, podían crear un mayor efecto de fuerza, de gracia o de sugestión.

La segunda consecuencia de su «exilio consular» fue el alejamiento de Portugal, es decir, de los temas y de la realidad de su primera narrativa. Entre 1872 y 1900 Eça sólo regresó a Portugal en los periodos vacacionales. Esta distancia opera en dos sentidos: por una parte provoca la progresiva idealización de su patria lejana, que irá convirtiéndose en una Arcadia depurada por la memoria selectiva y que en lo literario limará las aristas de las duras críticas de su primera etapa; por otra parte hizo que perdiese poco a poco el contacto directo con la realidad sobre la que escribía. Mal podía Eça plegarse a la ortodoxia realista de la observación inmediata estando a miles de kilómetros del Portugal que era su materia literaria. Este conjunto de circunstancias: el culto al estilo —que anula el objetivismo realista—, la visión irónica y la imposibilidad de una mirada cotidiana sobre la realidad portuguesa le alejaron poco a poco de la ortodoxia naturalista y marcaron la evolución de su narrativa.

La estancia de Eça de Queirós en Cuba fue breve. En no-

6. José Maria de Eça de Queirós, *Cartas inéditas de Fradique Mendes e mais páginas esquecidas*, Oporto, Lello & Irmão Editores, 1973, p. 79.

viembre de 1874 fue destinado a Newcastle upon Tyne, donde permaneció hasta ser trasladado a Bristol en 1878. En total Eça permaneció en Inglaterra catorce años, hasta su nombramiento como cónsul en París en 1888. Durante esos años se quejó con amargura en sus cartas, como suelen hacer los diplomáticos, del clima inglés y de su gastronomía, pero también profundizó en el conocimiento de la literatura inglesa, cuya vena irónica tan bien conectaba con su propio estilo. Esa influencia es muy notable en la ambientación «inglesa» de *Los Maia*.

Los años de Inglaterra son los de la etapa realista-naturalista y también los del progresivo abandono de esta corriente estética. A su regreso del viaje a Oriente Eça se despide del romanticismo de *Prosas bárbaras* con *El misterio de la carretera de Sintra*, una parodia del folletín romántico y rocambolesco escrito en colaboración con Ramalho Ortigão, con quien colabora también en la serie de *Las banderillas*, crónicas satíricas sobre la vida de Lisboa en las que Eça aguza su estilete contra los aspectos más ridículos de la vida burguesa. En 1874 aparece en el *Diário de Notícias* el cuento «Rarezas de una muchacha rubia», su primer ensayo de prosa ficcional realista. Decidido a predicar con el ejemplo las ideas de su conferencia escribe en sus años de Newcastle las dos primeras versiones de *El crimen del padre Amaro* y *El primo Basilio*. Las dos novelas son representativas del Eça de Queirós más estrictamente naturalista, al menos en su contenido temático, ya que el uso irónico del lenguaje y las distorsiones de la tesis moral marcan ya cierta heterodoxia. *El crimen del padre Amaro* es la aportación queirosiana al tópico realista del pecado carnal del sacerdote, desde la óptica anticlerical y crítica con la hipocresía de una Iglesia institucionalizada, y un análisis de las nefastas consecuencias de las vocaciones inducidas y del celibato sacerdotal impuesto. *El primo Basilio* es también la realización queirosiana de un *topos* de la época, el adulterio femenino en el seno del mundo burgués, y constituye un contrapunto inevitable de *Alves & C.ª*. Volveremos sobre ambas novelas más adelante.

También durante esta época Eça planea un ambicioso proyecto titulado «Escenas de la vida portuguesa» o «Escenas de la vida real» que no llegaría a ver la luz más que en la dudosa forma de las publicaciones póstumas refundidas por su hijo. Deberían haber sido doce novelas cortas, relacionadas entre sí a través de algunos personajes que, a la manera balzaquiana, servirían de nexo entre ellas. En octubre de 1877 Eça escribe a su editor Chardron indicándole los títulos junto con la explicación del plan de la obra:

> Tengo una idea que creo que daría muy buen resultado. Se trataría de una colección de pequeñas novelas entre 180 y 200 páginas que sería un retrato de la vida contemporánea en Portugal: Lisboa, Oporto, provincias [...] todas las clases, todas las costumbres entrarían en esa galería. La cosa podría llamarse «Escenas de la vida real» [...] Cada novela tendría después su título propio [...] los personajes de una aparecerían en las otras, de manera que la colección formaría un todo...».[7]

Eça trabajó casi diez años en este proyecto que nunca terminó. ¿Por qué se malogró este ciclo de novelas? Podríamos pensar que algo tuvieron que ver las críticas del gran novelista brasileño Machado de Assis a *El primo Basilio*, que mucho afectaron a Eça; pero sin duda tuvo mayor importancia la

7. João Gaspar Simões, *op. cit.*, p. 414.

propia evolución estética del autor y un progresivo cansancio de las fórmulas realistas. Muchas de las novelas anunciadas fueron abandonadas en diversas fases de realización, otras cambiaron de rumbo y se convirtieron en extensas novelas que forman lo mejor de la producción queirosiana, como *Los Maia*. Estas novelas —*La capital, El conde de Abranhos*—, en algunos casos difíciles de datar, que tienen en común haber sido desechadas por su propio autor y encontrarse en niveles muy diferentes de elaboración, constituyen el conjunto de publicaciones póstumas que Eça de Queirós hijo reconstruyó, y que en algunos casos prácticamente escribió de nuevo, para darlas a la imprenta en los años veinte.

A partir de 1880, Eça empieza a dar señales de cansancio del realismo e inicia un nuevo rumbo estético. Es el año en que empieza a escribir *Los Maia*. Concebida al principio como una más de las novelas breves de «Escenas de la vida portuguesa», se convertirá en el proyecto más ambicioso de su vida. Varias veces Chardron anunciará la inmediata publicación de la novela y varias veces deberá aplazarla, ya que el texto no estuvo definitivamente listo hasta 1888. En esos ocho años la novela breve inicial ha crecido hasta las setecientas páginas y se han producido importantes modificaciones en la óptica artística de su autor. También en el contexto cultural europeo las cosas habían cambiado: el cansancio del realismo se acentuaba y se hacía general; la literatura rusa, divulgada en Occidente por De Vogüé, propició formas de psicologismo distintas a las anteriores, y al espiritualismo, de tintes franciscanos inspirados por el libro de Sabatier, se unen formas estéticas que preludian el modernismo y otros «ismos» finiseculares. *Los Maia* refleja esa transición. A lo largo de la novela, la descripción realista de las clases altas de Lisboa se completa con la nueva importancia atribuida a los sueños y premoniciones y con la construcción simbólica de la novela. La familia, microcosmos simbólico como en la tragedia griega, refleja en el incesto entre Carlos y Maria Eduarda da Maia, hermanos separados desde niños, el fracaso de todo un mundo basado en el orden lógico del positivismo. También desde el punto de vista de la técnica narrativa hay cambios significativos: el narrador más o menos objetivo e impersonal, aunque Eça nunca lo fue demasiado, deja paso a la focalización interna en los personajes y al discurso indirecto.

Mientras *Los Maia* proseguía su lenta gestación y para tranquilizar al pobre Chardron, editor en la eterna angustia de la espera, Eça publica dos novelas breves para entretener a sus lectores: *El mandarín* (1880) y *La reliquia* (1887). Son dos novelas «novelescas», que rompen con toda su producción anterior. *El mandarín* es un cuento filosófico, una fábula volteriana basada en un tema de Chateaubriand: ¿matarías a un viejo mandarín en los confines de China si para ello sólo tuvieras que tocar una campanilla y así heredaras su fortuna? Como era de esperar, la resolución queirosiana de este apólogo moral resultó muy distinta a la del romántico francés. *La reliquia*, por su parte, es una novela sobre la hipocresía. Teodorico Raposo se ve obligado a fingir una religiosidad que no siente para heredar la fortuna de su muy beata tía. En su viaje a Palestina «fabrica» una reliquia que le asegurará la anhelada herencia. Por una burla del destino, y por un error en los paquetes, será el camisón de su amante lo que aparezca en el oratorio de doña Patrocinio. Estas dos novelas llenas de malévolo humor y de fantasía marcan el fin de la fase realista de Eça de Queirós y el inicio de un camino literario que le llevará, en muy pocos años, al modernismo, llamado en Portugal «simbolismo», mucho antes de la aparición de las formas de fin de siglo en la literatura española.

En el momento en que se produce este importante cambio de rumbo estético tiene lugar un hecho decisivo también en la vida personal de Eça de Queirós. El 10 de febrero de 1886 se casa con Emilia de Castro, condesa de Resende, la hermana menor de su amigo de juventud y compañero en el viaje a Egipto. Con este enlace, Eça entra en un círculo de la sociedad portuguesa muy distinto a su burguesía de origen. Ya en *Los Maia* los personajes pertenecen a la alta burguesía financiera y a la aristocracia y en *La ilustre casa de Ramires* el círculo descrito es el de la antiquísima aristocracia rural. El joven airado de la tertulia proudhoniana del «cenáculo» se remansa, el martillo de clérigos y burgueses deja paso al refinadísimo estilista, y el sarcasmo evoluciona hacia una sutil ironía finisecular.

Al fin, en 1888, vio cumplido su sueño de muchos años: dejar Inglaterra y ocupar el consulado portugués en París. Allí vivirá hasta su muerte, allí nacerán sus cuatro hijos y también allí recibirá las noticias que amargarán sus últimos años. A la evolución de su dolencia intestinal, que le causará la muerte, se añadió el disgusto producido por el «ultimátum» inglés y, peor aun, por la reacción portuguesa. En 1890 el entonces todopoderoso imperio británico obligó a los portugueses, bajo fuertes presiones y amenazas, a renunciar a sus aspiraciones de establecer una unión territorial entre Angola y Mozambique que crearía, de costa a costa de África, un amplio espacio colonial portugués. Este «ultimátum» fue recibido en Portugal como una gran humillación nacional, de efectos parecidos a la crisis del 98 en España. Pero la reacción no pasó de un conjunto de superficiales medidas antibritánicas y no se produjo ese verdadero movimiento de reflexión y de regeneración nacional que Eça llevaba esperando tanto tiempo. Al año siguiente, en septiembre de 1891, le llega la noticia del suicidio de Antero de Quental. Eça dedicó entonces a su amigo muerto unas páginas de una intensidad afectiva poco frecuente en la obra queirosiana, significativamente tituladas «Un genio que era un santo». En 1895 le sacude la noticia de la muerte de otro gran amigo, Oliveira Martins, historiador y político, cuya influencia equivale en estos años a la ejercida por Antero en la juventud de Queirós.

Entre esas noticias de muerte y su propio dolor, Eça de Queirós sigue escribiendo. Datan de esos años *La correspondencia de Fradique Mendes*, *La ilustre casa de Ramires*, y *La ciudad y las sierras*. El protagonista de *La correspondencia de Fradique Mendes* es un héroe decadente con la misma obsesión por la estética del Floressas des Esseintes de Huysmans pero sin sus sufrimientos y taras hereditarias. Fradique es un superhombre, un modelo del fin de siglo, y con tal suma de perfecciones como protagonista no puede construirse una novela. Eça crea una biografía, casi hagiográfica, y un epistolario que lo muestra «entregado a la ocupación de pensar». En esas cartas alterna los destinarios reales (Oliveira Martins, Ramalho Ortigão, el propio Eça) con los imaginarios, y con todos ellos Fradique-Eça teoriza sobre política, religión, arte y literatura. Estamos en las antípodas temáticas y estéticas de *El crimen del padre Amaro*.

La ilustre casa de Ramires, en la estela del «ultimátum» inglés, es una obra sobre la humillación. Se trata de una novela simbólica, en la que Gonçalo Mendes Ramires, último descendiente de una ilustrísima familia cuya decadencia corre paralela a la de su país, es el propio Portugal del presente, roído por la burocracia y el caciquismo. Las teorías queirosianas de una regeneración mediante el dolor se unen ahora a las ideas de Oliveira Martins para mostrarnos cómo Gonçalo tendrá que descender a la sima de su propia cobardía, de su comodidad, de su claudicación moral, para ser capaz de remontar y de reconducir su propia vida buscando en Mozambique una inyección de fuerza y de vida.

Las últimas obras de Eça de Queirós son sorprendentes. El joven satánico y baudelairiano de *Prosas bárbaras*, el naturalista «escandaloso» de *El crimen del padre Amaro* y *El primo Basilio*, el humorista de *El mandarín* y *La reliquia*, el refinado esteta de *La correspondencia de Fradique Mendes* sufre entre 1890 y su muerte en 1900 una curiosa «conversión» que le conduce a la que se ha llamado fase hagiológica o fase nacionalista. *La ciudad y las sierras* es un ensueño arcádico en el que el hipercivilizado e infeliz Jacinto, habitante de un palacio parisino repleto de las últimas tecnologías —algunas dignas de la ciencia ficción, que Eça describe con la maestría de Julio Verne—, descubrirá la esencia de la felicidad en la *aurea mediocritas* de sus reencontradas propiedades en las tierras del norte de Portugal. En esta novela vemos el efecto producido en el escritor de su largo exilio consular. Portugal se ha depurado en el recuerdo; la mirada de Eça sobre su país, como la de Jacinto, es la del urbanita que añora, a veces sin él saberlo, la Arcadia perdida. *La ciudad y las sierras* fue recibida como la reconciliación de Eça con su patria, a la que había fustigado en tantas páginas; en realidad se trataba de algo más profundo. Un hombre prematuramente envejecido por la enfermedad y por el dolor vive en la ciudad con la que tanto soñó para acabar descubriendo que no responde a las expectativas de tantos años y, desde la inmensa metrópolis de Baudelaire, sueña con un paraíso perdido que se identifica más con la juventud y la fuerza que con el propio Portugal.

Más desconcertantes aun son las *Leyendas de santos* que deja inacabadas. Vidas de santos quizá inexistentes —san Onofre, san Frei Gil, san Cristóbal— impregnadas de un profundo franciscanismo, como si un socialismo evangélico hubiera sustituido al Proudhon de su juventud, escritas en una bellísima prosa que demuestra cuál es el hilo conductor de toda su producción: la creación de ese lenguaje prosístico, nuevo en la literatura portuguesa.

2. Eça de Queirós en España

Ese viejo tópico que presenta a España y a Portugal dándose la espalda, al que ya nos hemos referido al constatar la necesidad de presentar a Eça de Queirós, tiene algo de verdad, como muchas veces sucede con los tópicos, pero empieza a estar desfasado y, pese a este supuesto desconocimiento mutuo, algunos escritores portugueses han conseguido en diversos momentos de la historia un grado notable de fortuna y aprecio en España. A los ejemplos del presente —Pessoa, Saramago, Lobo Antunes—, debemos añadir, como precedente, el de Eça de Queirós, cuya recepción en España tuvo un periodo dorado entre 1900 y 1930 y una edad de plata en la actualidad.

Durante el último cuarto del siglo XIX, época en la que se desarrolló su vida literaria, la obra de Eça de Queirós fue conocida apenas en círculos literarios españoles o por aquellos que de alguna manera mantenían relaciones con Portugal, como era el caso de Rafael María de Labra. Sin embargo, entre esos pocos que conocieron la obra queirosiana en vida se encuentran nombres tan relevantes como Leopoldo Alas «Clarín» y Emilia Pardo Bazán. Clarín menciona en alguna ocasión al novelista portugués en sus artículos críticos. En 1883 el escritor español recomienda en una carta a Galdós la lectura de *El primo Basilio*, que él mismo estaba leyendo. En un momento de la carta manifiesta su inocente sorpresa de que en Portugal se puedan escribir buenas novelas, idea enormemente sugerente para analizar el tenor de las relaciones culturales entre España y Portugal en los últimos dos siglos. Por otra parte, la fecha de la carta implica que Clarín leyó el texto en portugués, dado que todavía no existía versión en español, y resulta inevitable pensar en la influencia que esta lectura pudo tener sobre la redacción de *La Regenta*, cosa que ya señaló Gonzalo Sobejano. Más adelante, Clarín mencionará a Eça de Queirós de forma elogiosa, pero breve, en textos de *Sermón perdido* (1885), *Nueva campaña* (1887), *Ensayos y revistas* (1892) y en el folleto *Mis plagios* (1898).

El primer estudio crítico de cierta envergadura sobre Eça de Queirós se publica en 1889, cuando Emilia Pardo Bazán, en su libro *Por Francia y por Alemania*, reseña la conversación que mantuvo en París con el autor de *Los Maia*. En su artículo, doña Emilia menciona, y es la única de su generación que lo hace, el rasgo esencial de la prosa queirosiana, la obsesión por el estilo, y por primera vez establece la comparación con Flaubert. Emilia Pardo Bazán fue la gran valedora de Eça ante sus contemporáneos españoles y su opinión construyó la primera imagen del novelista en España: Eça como promotor del naturalismo en Portugal y autor rodeado de un aura de escándalo.

En este sentido irán también las preferencias editoriales:

entre 1882, fecha de la primera traducción de Eça de Queirós en España y 1900, fecha de su muerte, sólo se publicaron dos traducciones, ambas piratas: en 1882, la de *El crimen del padre Amaro* con el pintoresco título *El crimen de un clérigo*, al que se añade *Traducido por un exjesuita*, y en 1884 la de *El primo Basilio*, con el título *El primo Basilio: episodio doméstico*, traducción atribuida a un misterioso «aprendiz de hacer novelas». Podemos, pues, afirmar que en este primer periodo de la recepción de Eça en España su lectura fue aun minoritaria, limitada a algunos círculos de literatos, que seguramente leían sus novelas en portugués, y a algunos lectores en busca de «emociones fuertes».

La muerte de Eça de Queirós en agosto de 1900 despertó un notable interés en la prensa de la época y dio lugar, entre otros, a dos extensos estudios de Eduardo Gómez de Baquero publicados en *La España Moderna* en 1900 y 1903. Los artículos de Gómez de Baquero alertaron a los editores sobre la necesidad de traducir al autor portugués. Para competir con la aparición en 1901 de *La reliquia*, por la editorial Lizcano & Cía de Barcelona, en traducción de Camilo Bargiela y Francisco Villaespesa, la editorial Maucci, también de Barcelona, lanzó entre 1902 y 1908[8] *La reliquia*, *El primo Basilio* y *El crimen del padre Amaro* en traducciones firmadas por Ramón del Valle-Inclán. La calidad de estas versiones no se corresponde con la de la literatura de Valle.[9] El tex-

8. Las fechas de estas traducciones son aproximadas dado que las primeras ediciones no aparecen datadas.

9. Sobre esta cuestión, véanse las opiniones vertidas por Guerra da Cal en su *Bibliografia Queirociana*, Universidad de Coimbra, 1975, tomo I, pp. 29, 46 y 77; y Elena Losada Soler, «La (mala) fortuna de Eça de Queirós en España: Las traducciones de Valle-Inclán», *La traducción en la Edad de Plata*, Barcelona, PPU, 2001, pp. 171-186.

to se corta arbitrariamente sin más criterio que el de abreviar las descripciones, las construcciones sintácticas e idiomáticas del portugués aparecen calcadas en castellano y los contrasentidos y errores de comprensión denotan poca familiaridad con la lengua original incomprensible en un gallego como era Valle-Inclán. La única conclusión a la que nos puede llevar el análisis de estas versiones es que la de *La reliquia* fue hecha a toda prisa, tal vez por el propio Valle, para satisfacer la urgencia del editor Maucci, y a la crónica penuria económica del traductor, quien, además, en 1902 no era todavía el nombre famoso que llegaría a ser. Las dos siguientes son con seguridad producto de un «negro» del traductor.

De forma paradójica, estas pintorescas traducciones marcan el inicio de los años dorados de Eça de Queirós en España. En 1902 apareció *El mandarín* sin indicación de traductor en la Biblioteca de la Irradiación (Madrid), una curiosa colección de textos esotéricos y naturistas. En 1903 se publicó la primera traducción de *La ciudad y las sierras* (por Eduardo Marquina); en 1904, la primera de *Los Maia* (por de Augusto Riera); en 1906, la de *La ilustre casa de Ramires* (por de Pedro González Blanco); y en 1907 la de *La correspondencia de Fradique Mendes* (por Juan José Morato). Con ello se completaba la presencia en España de las obras mayores de la narrativa queirosiana aparecidas hasta 1900.

Paralelamente a esta difusión a través de la publicación de traducciones, deberíamos comentar la opinión que de Eça de Queirós tenía Miguel de Unamuno. La decidida y militante lusofilia del rector de la Universidad de Salamanca no esquivó el nombre de Eça de Queirós, aunque no fuera uno de sus favoritos. Los criterios que Unamuno usó, de manera general, para establecer su canon de la literatura portuguesa

—iberismo, agonismo y casticismo— no podían ser muy favorables, de entrada, al cosmopolita e irónico Eça de Queirós. Éste aparece siempre en los escritos de Unamuno como contrapunto de Camilo Castelo Branco, mucho más del gusto de don Miguel. Sólo más tarde, cuando descubrió bajo la apariencia de una ironía afrancesada lo que llamó «el profundo sarcasmo ibérico de Eça de Queirós», matizó su opinión:

> Se ha comparado a Eça de Queirós con Anatole France, y he oído muchas veces en Portugal reprocharle a aquél su poco portuguesismo [...] Yo también lo creí en un tiempo, mas hoy ya no tanto. [...] a Eça de Queirós, portugués, y lo que es más, padre de portugueses, le duele Portugal. Cuando de éste se burla, óyese el quejido. Todo su arte europeo, un arte tan exquisitamente europeo, no logra encubrir su ímpetu ibérico. Se le oye el sollozo bajo la carcajada.[10]

Entre 1911 y 1925 se publicó en España la obra periodística de Eça de Queirós en traducción hecha a partir de los volúmenes portugueses que recogían sus colaboraciones en la prensa portuguesa y brasileña: *Ecos de París* (traducción de Andrés González Blanco, ¿1918?) *Cartas de Inglaterra* (traducción de Aurelio Viñas, ¿1918?) y *Notas contemporáneas* (traducción de Andrés González Blanco). Fue sin duda un triunfo del estilo queirosiano, ya que estos textos periodísticos habían perdido su inmediatez y actualidad, pero también de su visión intemporal y certera de la política y de la historia, que hace que estas crónicas, como hemos visto con los sucesos de Oriente Medio, sean válidas todavía hoy.

10. Miguel de Unamuno, *op. cit.*, p. 388.

También se reeditaron las novelas, en general reproduciendo las traducciones del periodo precedente, a las que se añadieron en 1910 la primera versión de *El misterio de la carretera de Sintra*, a cargo de Andrés González Blanco, y la primera con indicación del nombre del traductor (Francisco Lanza) de *El mandarín*. *La ilustre casa de Ramires* fue el título más editado y traducido. Las novelas breves —*El mandarín, La reliquia*—— se publicaron en colecciones de lectura popular como *La Lectura*, la «Colección Diamante», o la *Revista literaria Novelas y Cuentos*. Esto indica que el notable éxito queirosiano de estos años no se redujo a un público de *connaisseurs* sino que alcanzó a capas muy amplias de la población española.

Junto con la visibilidad editorial, Eça de Queirós gozó de la atención de la crítica. Algunos de estos comentaristas, en especial los que eran también sus traductores, como Andrés González Blanco y Wenceslao Fernández Flórez, llevaron sus elogios hasta el divino entusiasmo. Otros fueron más discretos pero también apreciadores de la obra queirosiana, como Carmen de Burgos, Díez-Canedo, Eugeni d'Ors o Agustí Calvet «Gaziel». Durante este periodo la influencia de Eça de Queirós se ejerce también directamente sobre los llamados «humoristas gallegos», Julio Camba y Wenceslao Fernández Flórez, entre otros. Todos ellos encontrarán en la ironía queirosiana una fuente de inspiración.

A partir de 1925 se abre otra fase, la de la traducción y publicación en España de la obra póstuma del autor portugués, con novelas como *A Capital* o *Alves & C.ª*, que su autor dejó inacabadas o no corregidas y que fueron rescatadas y «completadas» por José Maria de Eça de Queirós hijo. En España el interés por esas nuevas novelas, traducidas por Wenceslao Fernández Flórez (*La capital*, 1930; *El conde de Abranhos*, 1931; *Alves & C.ª*, 1932), potenció la reedición de las ya conocidas, pero eso no evitó el perceptible descenso de la presencia queirosiana en las librerías españolas. Novelas que habían tenido un notable éxito en años anteriores no fueron reeditadas y las que se tradujeron en esos años no tuvieron una segunda edición. En la convulsa España de los años treinta la estrella de Eça empieza a declinar.

La Guerra Civil supone, también para la presencia de Eça en España, un corte radical. Poco podía gustar el irreverente autor de *La reliquia* a la censura franquista. La primera edición de las obras completas traducidas por Julio Gómez de la Serna, publicada en 1948 al calor de las celebraciones del primer centenario de su nacimiento, fue retirada de las librerías. Después de este breve resurgir, plagado de dificultades, el silencio cayó sobre Eça de Queirós. Entre 1950 y 1970 casi no hay nuevas traducciones. Ni siquiera el renovado interés por la novela realista rompe esta tendencia. La imagen de Eça de Queirós en España era la que los novecentistas fijaron: la de un novelista *fin de siècle*, irónico y decadente, obsesionado por el estilo, y de ninguna manera la del «Zola portugués», látigo de la sociedad, que vieron sus contemporáneos. En una época fuertemente necesitada de ética no había lugar para el esteticismo de Fradique Mendes.

Los últimos veinticinco años, sin embargo, marcan un resurgimiento queirosiano más que notable. No sólo se han vuelto a publicar las traducciones antiguas, sino que se han realizado nuevas versiones a cargo de editoriales que cuidan con todo mimo estas ediciones. Un caso muy especial es el *revival* de *El crimen del padre Amaro* de la mano del sorprendente *boom* de adaptaciones cinematográficas de los últimos años. Reseñemos sólo la película del mexicano Carlos Carrera con guión de Vicente Leñero y Gael García Bernal y Ana Claudia Talancón en los papeles protagonistas. La película de Carrera probó la actualidad del núcleo central de la novela queirosiana, el problema nunca bien resuelto del celibato sacerdotal en el catolicismo, y demostró también que ese tema podía resistir su transposición al México actual. El eco de la película tiene, sin duda, algo que ver con la coincidencia entre 2002 y 2003 de cuatro ediciones de esta obra queirosiana seguidas de sus correspondientes versiones en edición de bolsillo.

Las grandes olvidadas de estos años han sido, sin embargo, las novelas póstumas, y en especial la que ahora nos ocupa, el delicioso vodevil que es *Alves & C.ª*, que bien merece esta nueva edición que viene a llenar ese hueco.

3. El adulterio femenino y su importancia en la narrativa realista

El adulterio femenino es uno de los grandes temas de la narrativa realista en un arco cronológico que podemos trazar simbólicamente entre 1857, publicación de *Madame Bovary*, y 1899, fecha de *El despertar*, de Kate Chopin. Para entender la importancia real de esa omnipresente «galería de adúlteras», hay que relacionar esta cuestión con otros ejes temáticos de la literatura burguesa, que en muchos casos se combinan entre sí en las novelas: el testimonio del surgimiento de las metrópolis y el cambio en las relaciones humanas que trajo consigo; las imágenes del sacerdote ambicioso y del sacerdote lascivo, derivadas de la crítica anticlerical de raíz liberal o socialista; la importancia del teatro, la ópera o los bailes de carnaval —en cuántas de estas novelas los personajes asisten a la representación del *Fausto* de Gounod, la ópera burguesa por excelencia, aunque en *Alves & C.ª* es sustituida por *La africana* de Meyerbeer—; el auge de la banca y la relevancia de todo el entramado financiero y comercial, tan claro en *La fiebre de oro* de Narcís Oller y fundamental en el desarrollo de *Alves & C.ª*; la inactividad y el diletantismo, verdadero cáncer que devora a las clases sociales que deberían regir la sociedad; la emergencia del «cuarto estado»; el tema, tan dostoievskiano, de la prostituta honrada, etc. Pero, entre todos ellos, el tema del adulterio femenino, generalmente combinado con uno o más de los temas antes citados, adquiere una recurrencia casi obsesiva en la narrativa europea de la segunda mitad del siglo XIX.[11]

Eça de Queirós ya había tratado con anterioridad a *Alves & C.ª* el tema del adulterio femenino. Lo había hecho en primer lugar en una de sus «banderillas» de la campaña de 1871, aquella colección de textos periodísticos de tono satírico que publicaba mano a mano con su amigo Ramalho Ortigão. En su artículo Eça de Queirós focaliza el problema en la mala educación social, cultural y moral que recibían las mujeres de la época, causante de la facilidad con que, según él, caían

11. Recordemos, de forma no exhaustiva pero sí significativa, algunos títulos que reflejan la importancia de este tema en diversas literaturas y desde diferentes enfoques. Flaubert: *Madame Bovary*; Tolstói: *Ana Karenina, Guerra y paz* y *La sonata a Kreutzer*; Leskov: *Lady Macbeth de Mtsensk*; Turguéniev: *Nido de nobles, El primer amor*; Chéjov: *La dama del perrito*; Dostoievski: *El eterno marido*; Machado de Assis: *Don Casmurro*; Fontane: *Effi Briest, La adúltera*; Clarín: *La Regenta*; Pérez Galdós: *Lo prohibido, Fortunata y Jacinta, Realidad*; George Eliot (Mary Ann Evans): *Daniel Deronda*; Chopin: *El despertar, Un asunto indecoroso*; Wharton: *El día de fin de año*.

en brazos de cualquier caricatura de don Juan que las rondase. Más adelante retomará el tema como trama secundaria o motivo en *Los Maia*, en *La ilustre casa de Ramires* y, en un tono ya muy cercano al de *Alves & C.ª*, en una carta de *La correspondencia de Fradique Mendes*. Pero, sin duda, su mayor contribución al tema es *El primo Basilio*, en el que la misma situación de *Alves & C.ª* es tratada desde un punto de vista ideológico y moral del todo distinto. En tanto que espejo contrastivo de la novela que presentamos, vale pues la pena dedicarle un poco más de atención.

A través de la correspondencia queirosiana y de los estudios de Ernesto Guerra da Cal[12] podemos seguir la génesis de *El primo Basilio*. La novela fue escrita en Newcastle, y una primera redacción estaba casi lista en 1876. Fue concebida para formar parte del proyecto balzaquiano «Escenas de la vida portuguesa», y un primer borrador sin fecha, aunque por las alusiones del propio autor en su correspondencia podemos situarlo alrededor de 1875, aparece con el título *El primo João de Brito*.[13] Este primer germen presenta muchos puntos en común con el texto definitivo en cuanto a la intriga, los personajes y la técnica narrativa. El adulterio se perfila ya como motivo central, pero algunos personajes esenciales están menos desarrollados.

La intención original del autor, como en otros casos, era tal vez hacer una novela corta. Eça de Queirós suele trabajar por amplificación de un pequeño núcleo inicial, frente a otros autores que actúan por reducción de la primera ver-

12. Ernesto Guerra da Cal, *op. cit.*, p. 95.
13. Isabel Pires de Lima, «Entre primos: D'*O Primo João de Brito* a *O Primo Basílio*», en *Revista da Faculdade de Letras. Línguas e literaturas*, XI, Oporto, 1994, pp. 229-245.

sión. El manuscrito de *El primo Basilio* está fechado con la indicación «septiembre de 1876-septiembre de 1877», y las primeras entregas llegaron a la imprenta en mayo de 1877. La primera edición de tres mil ejemplares apareció en febrero de 1878, se agotó en tres meses y despertó un fuerte movimiento crítico a favor y en contra. La segunda edición —ahora con el subtítulo *Un episodio doméstico*— apareció a principios de 1879, aunque lleva fecha de 1878. Fue completamente revisada y corregida por Eça y presenta diferencias considerables respecto a la primera. Ésta es la única edición que el autor consideró válida para cualquier traducción o edición posterior. La última edición en vida de su autor se publicó en 1887. Se anunció como edición corregida, pero Eça no llegó a recibir las pruebas finales, lo cual le causó un gran enfado dado su obsesivo afán de corrección. Se sentía, además, muy lejos ya en ese momento de la estética realista-naturalista y siempre había mantenido malas relaciones con esta novela, como observamos en una carta a Ramalho Ortigão de 1877, anterior a la publicación de la primera edición:

> He acabado *El primo Basilio*, una obra falsa, ridícula, afectada, deforme, sentimentaloide y estupefaciente. Ya la leerá, es decir, la dormirá. Sería largo explicar como yo, que soy cualquier cosa menos insípido, pude hacer una obra insípida.[14]

Pese a todos sus defectos y al poco aprecio que su autor sentía por ella, *El primo Basilio* ha sido una novela con gran éxito editorial internacional. Es también la aportación portuguesa al tema tan característico de esa época, pero, a di-

14. José Maria de Eça de Queirós, *Correspondência*, Lisboa, Imprenta Nacional-Casa da Moeda, 1983, p. 123.

ferencia del texto flaubertiano, *El primo Basilio* lleva por título el nombre del amante, no el de la adúltera, aunque este hecho no se traduzca literariamente en una focalización en este personaje, como hará Galdós en *Lo prohibido*. El foco de la narración es Luisa, una joven esposa burguesa lisboeta, sin hijos, casada con Jorge, un ingeniero de minas a quien quiere —y esto supone ya una alteración del modelo—, lo cual no le impide caer en los brazos de su primo Basilio, antiguo amor de adolescencia y don Juan sin grandeza, que regresa a Lisboa de forma muy oportuna, después de unos años de estancia en Brasil, precisamente cuando Jorge estará fuera de su casa unos meses por motivos de trabajo. En su aventura con Basilio, porque sería exagerado hablar de gran pasión, Luisa cree realizar sus sueños de ser una gran amante, sueños sacados de las novelas románticas que alimentan sus horas vacías.

En 1878, en una carta a Teófilo Braga, Eça expuso con claridad cuáles habían sido sus intenciones con *El primo Basilio*. La cita es larga, pero la voz del autor puede explicar mejor que nadie el propósito de su novela:

> *El primo Basilio* presenta, sobre todo, un pequeño cuadro doméstico, muy familiar para quien conoce bien la burguesía de Lisboa: la señora sentimental, mal educada, ni siquiera espiritual [...] llena de novelas, de lírica, con el temperamento sobreexcitado por la ociosidad y por la finalidad misma del matrimonio peninsular, que es normalmente la lujuria, [...] por otro lado el amante, un canalla, sin la justificación que puede dar la pasión, que lo que pretende es la vanidad de una aventura y el amor gratis. Por otro lado, la criada, en secreta rebelión contra su condición, ávida de desquite. [...] Una so-

ciedad sobre estas falsas bases no conoce la verdad: atacarlas es un deber.[15]

La intención es clara, pero ése es precisamente el problema. Cuando el novelista quiere «atacar» de manera demasiado obvia la trama se resiente. Poco después de la publicación de *El primo Basilio* el escritor brasileño Machado de Assis publicó un artículo sobre las dos obras de Eça conocidas hasta entonces, *El crimen del padre Amaro* y *El primo Basilio*. La crítica fue dura, y no le faltaba razón en muchos puntos. La objeción principal de Machado de Assis a *El primo Basilio* es el uso constante de un *deus ex machina* para no desviar el rumbo de la tesis. Esta necesidad de encaminar en todo momento la acción lleva a incongruencias narrativas y contribuye sobre todo a debilitar la construcción literaria de la protagonista. Machado de Assis hace notar, además, la deformación de la moralidad de la historia, que parece advertir más sobre la necesidad de una elección cuidadosa de los criados que sobre los males del adulterio femenino. El propio Eça de Queirós fue muy consciente de los fallos de su novela pero, pese a ellos, *El primo Basilio* es una novela extraordinaria en sus personajes secundarios, en su carácter de retrato de una sociedad y en algunos pequeños detalles que suponen innovaciones sorprendentes. Destaquemos uno. Eça de Queirós introdujo en *El primo Basilio* —deberíamos preguntarnos hasta qué punto se apercibió de ello— un elemento extraordinario, en apariencia mínimo, que en nuestra época adquiere tintes positivos si lo interpretamos como defensa del derecho de la mujer a su propio deseo, pero que en un contexto decimonónico acentúa la «monstruosidad» de

15. *Ibid.*, p. 135.

Luisa, y de la Ludovina de *Alves & C.ª*, que lo presenta de forma más atenuada. Cuando Luisa descubre que su amante Basilio en nada se parece a sus héroes románticos, decide abandonarlo, pero Basilio la seduce de nuevo, no con palabras o con actitudes románticas tomadas de las novelas, sino enseñándole una forma de placer que ella desconocía. Esta afirmación, brutal para la época, del poder del deseo físico, de ese deseo físico femenino que no existía más que como una patología ni para los poetas, ni para los médicos, ni para los filósofos, es uno de los detalles más innovadores del texto queirosiano. Luisa no busca en su amante «espíritu y sensibilidad», sino que anhela unas sensaciones que su marido no ha provocado en ella. Esta «nueva sensación» es tan poderosa en el ánimo de Luisa como las novelas románticas que fueron anatemizadas por todos los realistas, siguiendo al pie de la letra *Amor y matrimonio* de Proudhon, en una auténtica cruzada contra la mujer lectora que olvidaba su verdadera función de «ángel del hogar».

De hecho, en ciertas clases sociales, la mujer ha sido una gran lectora, quizá más que el hombre, porque ha dispuesto de más tiempo, y aquél siempre ha temido la fuerza de ese otro mundo de ficción en el que la mujer se adentraba en solitario y a través del cual se alejaba de su control. Por otra parte, paradójicamente, quienes le ofrecían esa otra realidad, en general mucho más atractiva, eran otros hombres, los escritores. También las novelas de adulterio son textos sobre mujeres escritos por hombres, y desde una perspectiva muy ambigua: piedad individual para su heroína pero condena social de su acción. Las mujeres encontraban, pues, un placer que era casi un adulterio espiritual en la imaginación y en las palabras de otro hombre, y a veces amaban tanto a los personajes de esas novelas que daban a sus hijos, a los que tenían en la realidad, con su marido legítimo, el nombre de esos héroes de ficción que habitaban sus sueños. En *Alves & C.ª*, el protagonista carga con el nombre de Godofredo a causa de las lecturas de su madre. También Maria Monforte, personaje de *Los Maia*, decide bautizar a su hijo con el nombre del héroe de su novela favorita, por supuesto de Walter Scott.

De nada servía que todavía en 1837 se pusieran impedimentos a las mujeres para entrar en la Biblioteca Nacional, aunque la ley las autorizaba a hacerlo.[16] Los nombres de ciertas colecciones literarias indican a las claras quiénes eran sus lectores, es decir sus lectoras: «Biblioteca de señoritas», «Biblioteca de tocador», «Museo de las hermosas», etc. Añadamos a esto el fenómeno de la «suscripción» —cuenta abierta en una librería para la adquisición o intercambio de novelas—, también en su mayoría femenino. Emma Bovary, Ana Karenina, Luisa, todas ellas tienen esas cuentas para un viaje al ensueño. Esos libros eran la única arma para luchar contra el aburrimiento que tenían unas mujeres, condenadas a la más absoluta inactividad. Pero también esa evasión se consideraba perversa. Para las mujeres «tener literatura» siempre es negativo; las convierte en un ser no natural, es decir, en un monstruo. Como demostró Flaubert, entre una lectora romántica compulsiva y una adúltera hay un trecho muy breve. En sus lecturas las mujeres encontraban héroes y el espacio para un sentido épico de la existencia que el mundo burgués había desterrado. Y esos héroes de otro mundo y de otra época aparecían teñidos de todas las perfecciones, muy superiores a los maridos reales que ellas encontrarían. ¿Cómo podía

16. Vicente Llorens, *El Romanticismo español*, Madrid, Fundación Juan March-editorial Castilla, 1979, p. 246.

Charles Bovary competir con Rob Roy? Desde el punto de vista literario estas novelas son la respuesta realista a la estética romántica del anhelo infinito. El desnivel entre la expectativa que han generado en las mujeres las novelas románticas (el eterno motivo de la Cenicienta esperando al príncipe) y la realidad que les espera (Charles Bovary o, en el mejor de los casos, Alexei Karenin) origina el desastre.

Sería casi ingenuo recordar que nunca sucede lo mismo con los hombres. El tema del adulterio es indisoluble de la doble moral burguesa. La familia es el núcleo de la economía burguesa generada en los pequeños talleres de los gremios y la herencia es su pilar. El adulterio masculino no comprometía la esencia de esa transmisión patrilineal de la fortuna familiar porque la legitimación de un hijo no matrimonial del hombre era siempre una decisión voluntaria de éste. Ahora bien, el adulterio femenino, que llevaba consigo la imposibilidad de asegurar la paternidad, introducía el peor factor de desestabilización para la mentalidad burguesa: la ruptura de esa patrilinealidad de la herencia.

El matrimonio burgués se basaba en una relación afectiva —o eso se suponía—, pero también era un contrato en el sentido moderno. En el Antiguo Régimen, la vida del hombre estaba regida por muchas estructuras y normas sociales; sin embargo, a partir del siglo XIX, estos lazos convergen en torno a la idea rousseauniana de contrato, y entre todos ellos destaca el contrato por excelencia, la unión matrimonial, eje de toda la sociedad. De esta forma el adulterio de la mujer se convierte en un asalto frontal a toda la estructura social, y en su condena coinciden todos, conservadores y socialistas, ultracatólicos y librepensadores. El adulterio femenino es sentido como una triple traición: al contrato interpersonal, ya que el matrimonio burgués, a diferencia del aristocrático, presupone el afecto entre los cónyuges; al contrato social de constitución de familia; y al contrato religioso firmado ante Dios, de ahí los remordimientos religiosos de algunas de estas adúlteras.

Por otra parte, el adulterio de la mujer vulnera otro principio del mundo moderno: la privacidad del hogar. El amante es el intruso en casa, el usurpador que ocupa un lugar que no le pertenece. En *Alves & C.ª*, donde Eça de Queirós revisa desde la distorsión moral de fin de siglo, cuando ya no es necesario que la mujer se arroje a las vías del tren, el tema del adulterio femenino, Godofredo encuentra a su mujer abrazada a su amante —que es *su* amigo y, más grave aun, su socio comercial— en *su* casa, en *su* salón, en *su* sofá; es decir, la traición se agrava con la invasión del espacio.

Si la mujer adúltera amenaza los pilares de un orden que la sociedad burguesa cree «natural», debe de tratarse de algo aun peor que la mujer-demonio de los románticos. Como aberración natural y moral, la adúltera es, como afirmó Schopenhauer de manera diáfana, un monstruo:

Ante todo, preciso es considerar que el hombre propende por naturaleza a la inconstancia en el amor y la mujer a la fidelidad. El amor del hombre disminuye de una manera perceptible a partir del instante en que ha obtenido satisfacción. Parece que cualquier otra mujer tiene más atractivo que la que posee; aspira al cambio. Por el contrario, el amor de la mujer crece a partir de ese instante. Esto es una consecuencia del objetivo de la naturaleza, que se encamina al sostén, y por tanto, al crecimiento más considerable posible de la especie. [...] De aquí resulta que la fidelidad en el matrimonio es artificial para el hombre y natural en la mujer, y por consiguiente (a causa de sus consecuencias y por ser contrario a la naturaleza), el adulterio de la mujer es mucho menos perdonable que el del hombre.[17]

Recordemos que la mayoría de estos personajes, como Ana Ozores, Obdulia Fandiño, Luisa, Leopoldina, la propia Ludovina, no tienen hijos. Los errores de la naturaleza son estériles, la selección natural darwiniana, tan de moda en la época, impide la reproducción del «fallo».

Por otra parte, el tema del adulterio femenino plantea, de manera colateral, uno de los grandes problemas de la modernidad: el conflicto de derechos que se origina con el uso de una libertad individual que choca con la libertad y el derecho de los demás. Durante siglos el sentido de lo colectivo fue muy superior al sentido de lo privado. Cuando Saint-Just proclama en la tribuna de la Convención que «la felicidad es una idea nueva en Europa», se está refiriendo a la consagración moderna del derecho a la felicidad individual por encima de la obediencia debida a los intereses del grupo. Cuando las «bovaristas» se lancen a la busca, muchas veces desesperada, de esta felicidad individual que ya sienten como derecho inalienable, chocarán, irremisiblemente, contra el derecho a la felicidad del grupo —la familia y la sociedad, que no desean verse perturbadas por elementos incontrolados— y contra el derecho a la felicidad de otro individuo, el marido, cuyas prerrogativas el mundo burgués del siglo XIX considera siempre superiores a las de la esposa.

El adulterio femenino resulta, pues, condenable desde todas las perspectivas de la época. Pero lo que se condena no

17. Arthur Schopenhauer, *El amor, las mujeres y la muerte*, Madrid, Edaf, 1989, pp. 57-58.

es tanto el hecho en sí como el escándalo, el verdadero pecado imperdonable en la sociedad burguesa. Leopoldina es una contumaz del adulterio, pero no resulta castigada más que en el rumor; Obdulia y Visitación son notorias en Vetusta, pero al no haber escándalo público no hay castigo para ellas. Sólo aquellas que osen desafiar públicamente a la sociedad, como Emma Bovary y Ana Karenina, o que tengan la desgracia de que su caso se conozca con pruebas irrefutables, como Ana Ozores, deberán expiar su culpa.

En el caso de Ludovina, el escándalo público no llega a producirse. Cuando sea reintegrada a la vida familiar se explicará su transitorio «exilio» por la necesidad de cuidar a su viejo y cínico padre enfermo. Los únicos que saben la verdad, los tres protagonistas y los amigos de Godofredo, tejerán un denso manto de silencio sobre lo sucedido. Podrá haber algunos rumores, pero en ausencia de una prueba irrefutable y conocida nada llegará a hacerse verdaderamente público; por lo tanto «pecado oculto, medio perdonado» o, como en este caso, perdonado del todo.

También el papel de las criadas es relevante en estas novelas. Petra, la criada de Ana Ozores, precipita el desastre por la envidia y los celos que siente, como sucederá con la prodigiosa Juliana de *El primo Basilio*, el mejor estudio literario de una criada en la literatura del siglo XIX junto con el cuento de Flaubert «Un corazón simple». Félicité, la criada de Emma Bovary, se convierte en cambio en su muda cómplice, como hará Margarita, la criada de los Alves, que Godofredo rápidamente identifica como «cómplice y confidente» de su señora: «Detestaba cada vez más a Margarita, que parecía seguir celando por los intereses de la señora, recibía sus recados y aun era su confidente» (p. 114). La relación que se establece en el mundo burgués entre la señora y su doncella, de gran intimidad y al mismo tiempo de gran distancia, es de una extrema sutileza y de carácter muy específico. Las criadas constituían, como afirma Geneviève Fraisse, «un proletariado femenino invisible para los historiadores».[18] En el mundo burgués el servicio es en su mayoría femenino y su directa responsable es la «señora», al contrario de lo que sucedía con la servidumbre del antiguo régimen, que era contratada y rendía cuentas ante el amo. Se trata, pues, de una relación marcada por el género. El papel de las «doncellas» las convertía en una especie de aristocracia del servicio doméstico —no comparable, sin embargo, a la del mayordomo o el ama de llaves—, pero eran las que se situaban con mayor claridad entre dos mundos, porque mimetizaban comportamientos burgueses que las alejaban de sus orígenes a menudo rurales y acentuaban su desclasamiento. Dado el grado de intimidad personal, incluso física, pues la criada ayuda a su señora a lavarse, a peinarse y a vestirse, la relación entre ambas mujeres era de una gran ambigüedad y abarcaba un arco extenso de emociones, desde el más profundo odio hasta la devoción más fiel, y su rebelión era causada con mayor frecuencia por un desacuerdo o por una cuestión afectiva —sentirse menospreciada o maltratada— que por una manifestación de conciencia de clase. Nadie conocía mejor a una dama burguesa que su criada, y si ésta tomaba un amante ella sería también la primera en saberlo: baños más frecuentes, mayor cantidad de ropa interior que lavar o un corsé mal abrochado delataban a la dama ante ese testigo mudo, o no tan mudo, de su existencia. Por eso la actitud que pudiera

18. Geneviève Fraisse, *Femmes toutes mains. Essai sur le service domestique*, París, Éditions du Sevil, 1979, p. 32.

mostrar hacia los «deslices» de su señora era de la mayor relevancia y, tanto en la realidad como en la ficción, resultaba decisiva para la evolución de esa relación. La criada Margarita es una muestra perfecta de esto: cómplice de su señora Ludovina, testigo incómodo, tenaz martirizadora de su amo a base de darle huevos crudos y filetes quemados para comer y, sin duda, un elemento decisivo en la prudente decisión final de Godofredo.

4. *ALVES & C.ª*

Después de *El primo Basilio*, que, como hemos visto, es una novela de tesis de estricta observancia flaubertiana, Eça crea su reverso con *Alves & C.ª*, una novela de adulterio en tono de farsa o, para ser más exactos, de vodevil, focalizada en la reacción del marido engañado y que no contiene un castigo para la adúltera, invirtiendo así, como hará después en *La correspondencia de Fradique Mendes*, en la carta que el protagonista envía a Ramalho Ortigão sobre el caso de la señora Mendíbal, los paradigmas narrativos e ideológicos del tema y desarrollando el texto en un ambiente estético lleno de resonancias finiseculares.

Precisamente esos elementos estéticos, como las imágenes y motivos *fin de siècle*, y la subversión de la ortodoxia ideológica de la narrativa realista permiten confirmar desde el interior del propio texto la imposibilidad de que *Alves & C.ª*, que presenta un importante problema de datación, pertenezca al proyecto «Escenas de la vida portuguesa». Ésa fue la primera hipótesis que la crítica, que la sustentó en la opinión de José Maria de Eça de Queirós hijo, editor —y, por las modificaciones que introdujo en el manuscrito de su padre, casi coautor— de la primera publicación de este texto en 1925. Tras constatar que no hay ninguna referencia a esta obra en la correspondencia de su padre y que tampoco la había mencionado nunca en familia, el hijo de Eça de Queiros identifica *Alves & C.ª* con la obra que, por su «naturaleza cruda», su padre decidió que no convenía a la *Revista de Portugal*, como comunicó por carta al editor de la publicación en 1891. En realidad, la obra mencionada tiene más posibilidades de ser *La tragedia de la calle de las Flores*, un texto precursor de *Los Maia*, cuya publicación la familia no autorizó hasta los años ochenta del siglo XX por considerar que su temática —un incesto entre madre e hijo que ignoran que lo son— era demasiado «cruda».

El manuscrito conservado en la Biblioteca Nacional de Lisboa, estudiado por Luis Fagundes Duarte e Irene Fialho en su edición crítica, sin nombre de autor pero con la inconfundible caligrafía queirosiana, no está datado, pero el papel presenta una marca de agua con fecha de 1883; por lo tanto, sólo podría ser anterior a esa fecha si el manuscrito conservado fuese copia de una versión más temprana. Pero ¿qué motivos podrían llevar al autor a copiar de nuevo en 1883 un texto previamente escrito y que formaría parte de un proyecto abandonado? Si consideramos, en cambio, que el manuscrito posterior a 1883 es una primera versión, la hipótesis de datación de Duarte y Fialho, 1887, resulta muy plausible. Esta datación se basa, entre otros argumentos, en ciertas interferencias en la onomástica de los personajes femeninos que parecen indicar un trabajo simultáneo con la reedición de *El primo Basilio* que estaba preparando en 1887. Si, como proponen Duarte y Fialho, podemos ampliar el arco hasta 1890, las imágenes y motivos finiseculares del texto, que analizaremos con detalle un poco más adelante, cobrarían todo su sentido. El texto está completo en el manuscrito y las modificaciones del editor, que son importantes, no afectan al desarrollo de la acción ni a las características de los personajes.

Se trata de una novela breve, que quizá Eça habría hecho más extensa si hubiese continuado con el proyecto. Su línea argumental es muy simple: un próspero comerciante lisboeta de productos de ultramar, Godofredo Alves, socio principal de la empresa *Alves & C.ª*, es un hombre feliz cuando se inicia la acción el día en que piensa celebrar su cuarto aniversario de bodas: su negocio funciona, tiene un buen socio —Machado, cuya descripción ya resulta algo sospechosa, dado que se parece demasiado a la de un seductor: «Machado tenía veintiséis años y era un joven apuesto. Con su bigotito rubio, el pelo rizado y cierto aire elegante, gustaba a las mujeres» (p. 72)— y está felizmente casado con Ludovina, llamada Lulú. Para celebrar su aniversario, Godofredo compra un pastel y una pulsera y se dirige, un poco antes de lo habitual, a su casa. Al llegar, y tras franquear el obstáculo de la criada Margarita, quien, azoradísima, intenta frenarlo, Godofredo abre la puerta del tocador de Lulú, espacio muy íntimo y femenino en el mundo decimonónico al que una «visita» nunca tendría acceso, y ve la siguiente escena: «sobre el canapé de damasco amarillo, delante de una mesilla donde había una botella de oporto, Lulú, con una *robe-de-chambre* blanca, se recostaba, abandonada, sobre el hombro de un hombre que le pasaba el brazo por la cintura [...] ¡Era Machado!» (pp. 79-80).

Al tratarse de una novela breve, no hay espacio para los largos prolegómenos propios de la novela de adulterio. Como en un vodevil teatral, el primer clímax llega pronto y el adulterio se constituye en tema esencial y único del texto. El descubrimiento de la infidelidad cierra, a modo de telón, el primer acto, es decir la primera parte de la novela. Descubierta, Lulú casi confiesa: «¡Oh, Godofredo, por tu bien, perdóname! ¡No he hecho nada malo, y era la primera vez!» (p. 83). Retengamos la idea de que Godofredo debe perdonarla «por su bien», porque es fundamental. Poco después, Godofredo encontrará las inevitables cartas comprometedoras tan frecuentes en la narrativa del xix y tendrá que leer: «Ay, cuánto daría por tener un hijo tuyo...» (p. 87). A partir de ese momento, y en oposición a otras novelas de adulterio, acompañaremos la reacción y el tormento del marido engañado, no el de la adúltera, la cual se irá esfumando del texto tras ser enviada a casa de su padre, cuya única preocupación es saber si Godofredo seguirá atendiendo a su manutención. No hay remordimiento en Lulú, quien considerará su adulterio «un estúpido error», ni honor en el viejo Neto, su padre. Casi hay prepotencia y una constante sangría económica jugando con el peor miedo de un comerciante: un escándalo.

Tras esta primera decisión, en una segunda fase, la reacción de Godofredo es acusar a Machado y sopesar las alternativas: su propio suicidio —rápidamente descartado con la idea de que «¡Era el otro el que debía morir!» (p. 92)—; un duelo con Machado, que causaría un escándalo y pondría en peligro la solvencia de la empresa; u otra opción aun más absurda: un suicidio a suertes en un momento en que no pudiera relacionarse con el descubrimiento de la infidelidad. Dada la rotunda negativa de Machado a esta opción, a Godofredo sólo le queda el duelo, de resultado incierto y que haría público lo sucedido. Godofredo empieza a buscar padrinos, pero éstos exigen pruebas. Y aquí empieza la tergiversación de la realidad: sus amigos, para evitar el duelo, intentarán convencer a Godofredo de que no ha visto lo que ha visto ni leído lo que ha leído. Para llevar a cabo el duelo a muerte que Godofredo pretende, hay que probar de manera irrefutable que el adulterio ha sido completo. La misión de sus amigos será convencerle de que todo lo que vio tiene una explicación lógica e inocente o de que, en el peor de los casos, no pasó de un flirteo. Una vez Godofredo ha aceptado que quizá lo que vio era tan sólo dos adultos que jugaban a hacerse cosquillas como dos niños, el duelo ya no tiene que ser a muerte sino a primera sangre, y a espada, no a pistola. Por último, esta opción será también desestimada por el bien de todos, de la reputación de Ludovina y de la prosperidad de la empresa: «Además, ¿qué se conseguiría con un duelo? Comprometería a doña Ludovina, daría a entender a la gente que hubo realmente adulterio, dejaría al señor Alves en una posición un tanto ridícula y perjudicaría a la firma comercial...» (pp. 142-143). Toda una tergiversación de la realidad, hecha con la mejor intención, para llegar a una extraordinaria conclusión: «Evitas hacer el ridículo —añadió Medeiros. [...] Mantienes la firma intacta y unida [...] Libras a tu mujer de la mala fama [...] Conservas un socio inteligente y trabajador [...] ¡Y quizá un amigo!» (p. 144). Mientras tanto, Godofredo echa de menos a Lulú, quiere recuperar su plácida vida doméstica, está harto de las impertinencias de Margarita... El final está escrito: «¡Qué cosa tan prudente es la prudencia!».

Volvamos, para terminar, al análisis del elemento más relevante en la construcción del texto: la inversión de la moral y los elementos finiseculares. El primero de los elementos que alejan *Alves & C.ª* de la novela de tesis realista-naturalista es la distorsión ideológica del tema del adulterio femenino. En este texto ya no actúan los principios de Proudhon y Michelet que habían inspirado *El primo Basilio*. La caracterización de los personajes manifiesta también una inversión de roles muy finisecular, parecida a la que observamos en *Su único hijo*, la última novela de Clarín, cercana en el tiempo (1891) a este texto queirosiano. Si el amante, Machado, responde a la típica caracterización del seductor sin grandes cambios respecto al patrón realista, no sucede lo mismo con los otros dos miembros del triángulo amoroso. Godofredo es presentado como un «hombre frágil». El verdadero «bovarista», el lector de novelas, es él. El tercer vértice del triángulo, Ludovina-Lulú, es descrita como una Salomé, una mujer fálica, con algo de la Venus de las pieles de Sacher-Masoch: «al principio le tuvo miedo. La juzgó imperiosa, orgullosa, exigente, seca. Todo ello a causa de su espléndida estatura, de sus grandes ojos negros, del porte erguido » (p. 77). La misma focalización en el marido es también una distorsión del modelo flaubertiano y es atípica en la novela de adulterio. La encontramos sólo, y no de manera tan clara, en dos novelas rusas de intención muy diferente: *La sonata a Kreutzer* de Tolstói, en la que la acción está dirigida por el marido, Pozdnyshev, quien cuenta a un desconocido en un tren cómo y por qué ha asesinado a su mujer adúltera, y *El eterno marido*, de Dostoievski, en la que Trusotski va al encuentro de Velchaninov, examante de su mujer, para obtener la verdad y sufrir una catarsis en un verdadero ejercicio de masoquismo. Desde luego en ambas novelas el análisis psicológico del marido engañado es mucho más elaborado que en el caso de Godofredo Alves.

Otro punto de distorsión temática en *Alves & C.ª* es la ausencia de castigo para Ludovina frente a los castigos «ejemplares» de Emma Bovary, Ana Ozores o Ana Karenina, cuya función es demostrar la gravedad del adulterio como factor de descomposición social, gravedad que es merecedora del más terrible castigo. En el caso que nos ocupa, sin embargo, el tono de farsa y de broma finisecular del texto liberan al narrador de las obligaciones morales y permiten la creación de unos «contravalores» que hacen posible dar ese mismo tono cómico a un comportamiento que, en el registro realista, era sentido como un gravísimo flagelo social.

Por otra parte, dada su condición de texto póstumo y no autorizado directamente por su autor, no podemos tener la seguridad de que *Alves & C.ª* alcanzara su completo desarrollo ni tampoco sabemos cómo habría evolucionado el personaje de Godofredo si Eça hubiera revisado su texto, pero, incluso con su carácter esquemático, presenta características consideradas femeninas en la sociedad del siglo XIX: es indolente, instintivamente casto y «novelesco», de un sentimentalismo que le lleva hasta las lágrimas. Sufre también de migrañas y jaquecas, características de la imagen de la mujer como cuerpo enfermo tan propia de la medicina decimonónica. Todos estos rasgos invertidos respecto a la norma heteropatriarcal funcionan como un indicativo más de su datación finisecular. En *Alves & C.ª* ya no funcionan los patrones positivistas: ni la razón es infalible, ni el progreso es infinito, ni los hombres son tan hombres ni las mujeres tan mujeres. El siglo XIX, que se había iniciado bajo un patrón «sádico» en el que el hombre fatal, el héroe romántico, lleva a la destrucción a la mujer ángel, necesariamente víctima, concluye, como observó Mario Praz,[19] bajo un patrón «ma-

---

19. Mario Praz, *La carne, la morte e il diavolo nella letteratura romantica*, Florencia, Sansoni Editore, 1986, p. 182.

soquista». Para ello, es necesaria una inversión de rol en la que el hombre acepta la pasividad y deja de ser el elemento activo frente a una mujer fálica que lo subyuga. Las mujeres fatales dominan el fin de siglo: Salomé, Carmen, Cleopatra, etc., son las protagonistas de un universo decadentista, las que hacen de los hombres, como en la obra de Merimée, un ladrón o un asesino. Ludovina presenta algunos rasgos de este tipo: es alta, sus ojos son oscuros y sus cabellos negros y crespos; su cuerpo es el de una reina bárbara y, sobre todo, inspira temor al hombre. Pero Ludovina sólo es un cascarón de mujer fatal, dado que Eça de Queirós compensa de inmediato esos rasgos infantilizando y dulcificando su carácter, limando así los elementos subversivos de su imagen.

El motivo de la «negra cabellera» es relevante. En contraposición a la imagen petrarquista de *biondi capelli* de finales del siglo XIX, domina la presencia del cabello negro, ya existente en algunos modelos del romanticismo oscuro, como la Ligeia de Poe. La mujer de cabellera negra, Lilith, la Eva rebelde, se relaciona con la serpiente maléfica de la tradición judeo-cristiana, como en los cuadros de Franz von Stuck, y esa serpiente se materializa en *Alves & C.ª* de una forma muy concreta y claramente finisecular. El día en que Godofredo encuentra juntos a Lulú y a Machado ha comprado un regalo de aniversario para su mujer: una pulsera de oro en forma de serpiente con ojos de rubí. Se trata de una pieza de joyería modernista muy popular en toda Europa a finales del siglo XIX. Pendientes, anillos, collares y, sobre todo, pulseras en forma de serpiente (serpientes circulares que se muerden la cola, o en espiral) formaron parte, junto con las libélulas y las «mujeres flor», de los complementos favoritos de una moda que dictaba para las mujeres una silueta también sinuosa. La mujer y la serpiente, una vez más unidas, simbolizan el peligro femenino que acecha al hombre. El veneno de la serpiente, de las dos, la traidora doméstica y la de oro que debería haber sido un regalo de paz, convertirá a Godofredo, el buen burgués, en un loco capaz de imaginar la absurda solución del suicidio echado a suertes. La serpiente de oro, animizada «en su nido de seda», recordará a cada momento al protagonista lo efímero de los sueños, y a nosotros, sus lectores del siglo XXI, esta inversión finisecular de los principios éticos y estéticos del mundo burgués nos proporciona todavía una lectura refrescante inteligente y divertida.

5. Referencias bibliográficas citadas

Casares, Julio, *Crítica profana*, Buenos Aires, Espasa Calpe (colección Austral, n.º 469), 1949.

Eça de Queirós, José Maria de *Alves & C.ª* Luís Fagundes Duarte e Irene Fialho, eds., Lisboa, Imprensa Nacional-Casa da Moeda, 1994.

—, *La correspondencia de Fradique Mendes*, Barcelona, Destino, 1995.

—, *Cartas inéditas de Fradique Mendes e mais páginas esquecidas*, Oporto, Lello & Irmão Editores, 1973.

—, *Correspondência*, Lisboa, Imprensa Nacional-Casa da Moeda, 1983.

Fraisse, Geneviève, *Femmes toutes mains. Essai sur le service domestique*, París, Éditions du Seuil, 1979.

Gaspar Simões, João, *Vida e Obra de Eça de Queirós*, Lisboa, Livraria Bertrand, 1973.

GUERRA DA CAL, Ernesto, *Língua e estilo de Eça de Queirós,* Coímbra, Livraria Almedina, 1981.

—, *Lengua y estilo de Eça de Queirós. Bibliografía Queirociana,* 6 vols., Coímbra, Universidade de Coimbra, 1975-1981.

LLORENS, Vicente, *El Romanticismo español,* Madrid, Fundación Juan March-editorial. Castalia, 1979.

PIRES DE LIMA, Isabel, «Entre primos: D'*O Primo João de Brito* a *O Primo Basílio*», en *Revista da Faculdade de Letras. Línguas e literaturas,* XI, Oporto, 1994.

PRAZ, Mario, *La carne, la morte e il diavolo nella letteratura romantica,* Florencia, Sansoni Editore, 1986.

SCHOPENHAUER, Arthur, *El amor, las mujeres y la muerte,* Madrid, Edaf, 1989.

UNAMUNO, Miguel de, «El sarcasmo ibérico de Eça de Queirós», en *Eça de Queirós: In Memoriam,* Eloy do Amaral y M. Cardoso Martha, coords., Coímbra, Atlântida, 1947.

6. CRONOLOGÍA DE LA OBRA QUEIROSIANA

1866 Primeros textos en *Gazeta de Portugal,* recogidos después en el volumen póstumo *Prosas bárbaras,* 1903.

1867 Escritos diversos para el periódico *O Distrito de Évora,* publicados póstumamente en el volumen *Cartas de Lisboa,* 1944.

1870 *El misterio de la carretera de Sintra* (novela), en colaboración con Ramalho Ortigão, publicada en folletines en *Diário de Notícias.*

1871 *Las Banderillas,* crónicas satíricas en colaboración con Ramalho Ortigão.

1875 Primera versión de *El crimen del padre Amaro* (novela), publicada en la *Revista Occidental*.

1876 Segunda versión de *El crimen del padre Amaro*.

1878 *El primo Basilio* (novela).

1880 Tercera versión de *El crimen del padre Amaro*.

1880 *El mandarín* (novela).

1884 Publicación en volumen de *El misterio de la carretera de Sintra*.

1887 *La reliquia* (novela).

1888 *Los Maia* (novela).

1888 *La correspondencia de Fradique Mendes*, epistolario ficcional en folletines para la *Revista de Portugal*.

1890 Publicación de las «Banderillas» queirosianas en volumen bajo el título *Una campaña alegre*.

1897 *La ilustre casa de Ramires*, novela en folletines para la *Revista Moderna*.

1900 *La ilustre casa de Ramires*, publicación en volumen.

7. PUBLICACIONES PÓSTUMAS

1900 *La ciudad y las sierras* (novela).

1900 *Diccionario de milagros*.

1902 *Cuentos*: «Rarezas de una muchacha rubia» (1874), «Un poeta lírico» (1880), «En el molino» (1880), «Suave Milagro» (1885), «Civilización» (1892), «El aya» (1893), «Fray Genebro» (1894), «El difunto» (1895), «Adán y Eva en el Paraíso» (1897), «La perfección» (1897), «José Matias» (1897).

1903 *Prosas bárbaras*, textos fechados entre 1866 y 1867 publicados en la *Gazeta de Portugal*.

1905 *Ecos de París*, textos publicados en la *Gazeta de No-tícias* de Río de Janeiro en 1880 y entre 1892 y 1894.

1905 *Cartas de Inglaterra*, textos publicados en 1881 en la *Gazeta de Notícias* de Río de Janeiro.

1907 *Cartas familiares y notas de París*, crónicas para *Gazeta de Notícias* de Río de Janeiro fechados entre 1896 y 1897.

1909 *Notas Contemporáneas*, textos periodísticos de proce-dencia diversa fechados entre 1870 y 1898.

1909 La *correspondencia de Fradique Mendes*, publicación en volumen.

1912 *Últimas Páginas*: «San Fray Gil», «San Onofre», «San Cristóbal» —las tres «leyendas de santos» compuestas c. 1893—, y otros textos periodísticos.

1925 *La capital* (novela), composición c. 1878.

1925 Las novelas *El conde de Abranhos* y *La catástrofe*, com-posición c.1879.

1925 *Alves & C.ª* (novela), composición c. 1890.

1926 *Egipto*, crónica de viaje, composición c. 1870.

1929 *Cartas inéditas de Fradique Mendes*.

1944 *Cartas de Lisboa*, textos publicados en 1867 en el *Dis-trito de Évora*.

1944 *Crónicas de Londres*, textos publicados en *A Actua-lidade* entre 1877 y 1878.

1966 *Páginas sueltas*, crónicas del viaje a Palestina.

1980 *La tragedia de la calle de las Flores* (novela).

1983 *Correspondencia*, epistolario privado de Eça de Queirós entre 1867 y 1900 (edición de Guilherme de Castilho).

ELENA LOSADA SOLER
Universidad de Barcelona

NOTA DEL TRADUCTOR

He optado por conservar en el texto sólo aquellas palabras francesas usadas por el autor que me parecen realmente significativas.

Y en las que he conservado, tampoco he querido abusar de la paciencia del lector con notas a pie de página que indiquen que dichas palabras aparecen en francés en el original.

NOTA PREVIA

ESTE ES EL CUARTO volumen de la nueva serie de inéditos que, lentamente, pacientemente, he venido organizando desde hace cerca de dos años, y que de un tiempo a esta parte estoy sacando tumultuosamente a la luz.

Y en cada volumen que surge, ahí estoy yo, locuaz y alborozado, historiando, explicando, presentando y justificando la nueva publicación.

Hoy, sin embargo, en el momento de poner en manos de los lectores y de la crítica este cuarto volumen, reconozco desconsoladamente que no tengo nada que decir: *Alves & C.ª* no tiene historia. *Alves & C.ª* no puede explicarse. No se sabe de dónde vino, ni de cuándo data. Ni siquiera se sabe el título que le tenía destinado el autor a la novela. *Alves & C.ª* es anónima y desconocida. El autor nunca se refirió a ella en una carta, o en una conversación, o en un artículo; nunca la ofreció a un editor; ¡nunca la mencionó siquiera!

¿Qué podía decir yo, pues, cumpliendo con mi nueva función de «hacedor de prólogos»? ¿Sólo aquello que sabía? ¡Era bien poco!

Así, reduciendo la habitual y pomposa «Introducción» a las proporciones más modestas de una «Nota», decidí limitarme a la necesaria presentación del pequeño volumen reeditando aquí, para aquellos que no lo hayan leído, lo que se dijo en el estudio que precede a *La capital*.

Alves & C.ª apareció una tarde, a comienzos de 1924, en la ya célebre maleta de hierro, donde dormían hacía más de un cuarto de siglo los originales inéditos de mi padre. Eran ciento quince hojas sueltas, sin título ni mención de fecha, cubiertas por una letra como siempre vertiginosa, y, como siempre, sin un retoque, sin una corrección. Por el formato del papel, por la letra, por la poca extensión, por el asunto sobre todo, me incliné primero por que el manuscrito formara parte del largo plan inicial de las *Escenas de la vida portuguesa*, lo que fechaba la novela entre 1877 y 1889. No obstante, esto era sólo una suposición.

Es cierto que de los doce títulos destinados a los doce estudios sociales —o simplemente humanos— que debían formar las *Escenas de la vida portuguesa*, ninguno puede aplicarse razonablemente a *Alves & C.ª*.

Por otro lado, ciertas características de la novela hacían legítima mi suposición. Mi padre, en una carta a Chardron, ya citada en la «Introducción» a *La capital*, trazaba los rasgos esenciales de la futura obra, de la que hablaba como de una «colección de novelas breves, sin exceder de 180 a 200 páginas, que fuese una pintura de la vida contemporánea en Portugal: Lisboa, Oporto, provincias, políticos, "negociantes", hidalgos, abogados, médicos, todas las clases, todas las costumbres entrarían en esta galería». Y más adelante añadía: «El encanto de estas novelas está en que no hay digresiones, ni declamación,

ni filosofía: todo es interés y drama, contado rápidamente».
Son estos, en efecto, los rasgos que caracterizan *Alves & C.ª*,
que de hecho es un breve estudio social de 200 páginas, una
pintura de la pequeña burguesía comercial de Lisboa, una novela corta en la que «no hay digresiones ni declamación», y en la
que «todo es interés y drama, contado rápidamente».

Sin embargo, más tarde descubrí en otra carta, dirigida a
Luís de Magalhães, una frase que me dejó perplejo. Luís de
Magalhães, entonces subdirector de la *Revista de Portugal*,
pedía para la revista una novela de mi padre; a esto mi padre
respondía: «Respecto a la novela, no sabe usted cuántas ganas
tengo de trabajar. No tengo nada terminado en la gaveta, salvo un pequeño estudio, que por su naturaleza "cruda" no le
conviene a la revista». La carta estaba fechada en París en 1891.

¿Sería ese estudio de «naturaleza un poco cruda» y que
mi padre no quería ver publicado en la *Revista de Portugal* la
pequeña novela tan finamente irónica, el drama banal que
durante un tiempo agita tan grotescamente las vidas secun-
darias del bueno de Alves y de su amigo? ¿Se refería realmente
la carta al manuscrito que hoy nos ocupa? Es muy posible,
tanto más cuanto que de aquel estudio «de naturaleza un poco
cruda» nunca más oímos hablar, ni aparece ningún otro que
de lejos o de cerca pueda corresponderse con esa descripción.
Por eso, ciertamente, como no le convenía a la revista, el
pequeño estudio volvió a sumergirse en la gaveta, donde
vemos que ya desde entonces aguardaba resignadamente. Por
lo demás, esto tampoco pasa de ser otra suposición.

Pero, ¿para qué acumular hipótesis que nunca nadie
podrá verificar, o argumentos que son meramente conjetu-
rales?

Sólo hay, en fin, dos puntos en la historia confusa de este manuscrito que se pueden aseverar con seguridad y precisión: que mi padre lo escribió y que yo lo publiqué.

El primero de esos puntos no comporta discusión alguna. Es un hecho, tiene la indestructibilidad de un monumento de la remota antigüedad egipcia.

En cuanto al segundo, ¿para qué reunir aquí comentarios que lo justifiquen? *Alves y C.ª* inicia hoy su andadura: de mi mano entra en el fragor de las publicaciones y afronta la sentencia de la Crítica. Obra de primer impulso, lanzada al papel en una improvisación magistral, sufre ciertamente de las deficiencias de una revisión de lego, y a pesar de todo pongo confiadamente el librito en manos del público, seguro de que la justeza de sus tipos, su intenso sabor lisboeta, la gracia de sus diálogos, el equilibrio de su composición, la ironía de las situaciones, en una palabra, el arte consumado que el manuscrito revela, son la garantía más segura de su éxito y la mejor justificación de la divulgación que hoy le doy.

JOSÉ MARIA DE EÇA DE QUEIRÓS
Granja, 1925

Alves & C.ª

I

AQUELLA MAÑANA, Godofredo da Conceição Alves, sofoca-
do, resoplando por haber venido desde el Terreiro do Paço casi
a la carrera, abría la puerta de bayetón verde de su despacho,
en la Rua dos Douradores, cuando el reloj de pared, encima
del pupitre del contable, daba las dos, con aquel tono hueco al
que los techos bajos conferían una sonoridad doliente y triste.
Godofredo se paró, comprobó su propio reloj, sujeto por una
cadena al chaleco blanco, y no contuvo un gesto de irritación
viendo su mañana perdida entre los negociados del Ministerio
de la Marina. Ocurría siempre igual cuando su negocio de
exportaciones para ultramar le llevaba allí. A pesar de tener un
primo director general, de deslizar de vez en cuando alguna
moneda en las manos de los ujieres, de haber descontado letras
a favor de dos oficiales de segunda, siempre acontecían las mismas esperas somnolientas aguardando por el ministro, un papeleo eterno, dudas, demoras, todo un trabajo irregular, chirriante
y descoyuntado como de vieja máquina medio escacharrada.

—Siempre la misma pachorra —exclamó él, posando
el sombrero sobre la mesa del contable—. Dan ganas de

azuzarlos como a los bueyes: ¡Arre, Ruço! ¡Arre, Malhado! ¡Pa'lante!…

El contable, un muchacho un tanto amarillento, de aspecto enfermizo, sonrió. Esparció el secante sobre la extensa hoja que acababa de escribir y dijo, sacudiéndola:

—El señor Machado le dejó una nota dentro. Dijo que iba a Lumiar.

Godofredo, que se secaba la frente con un pañuelo de seda, escondió una sonrisa tras él y se puso a examinar la correspondencia mientras el contable continuaba espolvoreando el secante.

Un carro, fuera, atronó por un instante la calle estrecha con el traqueteo de los herrajes. Después todo volvió a quedar en un silencio pesado.

Un empleado, agachado delante de una caja, escribía un nombre en la tapa. La pluma de ganso del contable rechinaba; en lo alto, se oía el fuerte tictac del reloj, y con el enorme calor de aquel día y los techos bajos sofocantes, llegaba de las cajas, de los fardos, de los papeles polvorientos, un ligero olor a rancio y a mercaduría.

—El señor Machado estaba ayer en el teatro Dona Maria —murmuró el contable sin dejar de escribir.

Alves dejó la carta que leía, interesado, mirando vivamente:

—¿Qué daban ayer?

—*El trapero de París.*

—¿Qué tal?

El contable levantó los ojos de la carta para responder:

—A mí me gustó mucho Teodorico…

Alves esperó aun algún detalle más, alguna apreciación; pero el contable volvió a coger la pluma y continuó con su lectura. Durante unos instantes, el trabajo del empleado, inclinado, le interesó: seguía el plumín, admirando las curvas de las letras.

—¡Ponga una tilde, hombre! «Fabián» lleva tilde…

Y como el muchacho se atropellaba, él mismo se inclinó, cogió la pluma y puso la tilde a *Fabián*.

Dio algunas indicaciones al contable acerca de una remesa de bayetón rojo para Luanda y, empujando otra puerta verde, bajó dos escalones —porque en aquel piso el suelo estaba a diferentes niveles— y ya en su despacho por fin pudo desabrocharse el chaleco y estirarse en su poltrona de seda verde.

Fuera, aquel día de julio abrasaba, refulgía en las piedras de los paseos. Pero allí, en aquel despacho donde nunca daba el sol, a la sombra de los altos edificios de enfrente, había un frescor que las persianas verdes, bajadas, envolvían en una penumbra reposada; y el barniz de las dos mesas —la suya y la del socio—, la alfombra que cubría el suelo, la seda verde bien cepillada de las sillas, una moldura dorada que enmarcaba una vista de Luanda, la blancura lustrosa de un gran mapa en la pared, daban la impresión de aseo y de orden, que aportaban al despacho un reposo, una frescura mayor. Había también un ramo de flores que su mujer, la buena de Lulú, le había mandado la víspera, compadecida de saberlo, en aquellas mañanas de bochorno, con la calorina del despacho y sin el color vivo de una flor que le alegrase los ojos. Había puesto el ramo sobre la mesa de Machado; pero sin agua, las flores se marchitaban.

La puerta verde se abrió y el contable asomó la cara amarillenta y enfermiza:

—¿Dejó el señor Machado alguna indicación respecto al vino de Colares para Cabo Verde? —preguntó.

Sólo entonces Alves pensó en la carta del socio que estaba sobre el escritorio. La abrió. Las dos primeras líneas explicaban la ida a Lumiar; después, en efecto, comenzaba: «Respecto al Colares…».

Alves dio la carta al contable, y cuando la puerta se cerró de nuevo, se le puso otra vez la misma sonrisa disfrazada. Desde primeros de mes, era la cuarta o quinta vez que Machado desaparecía así del despacho, bien para ir a Lumiar a ver a su madre, bien para ir al otro lado del río a visitar a un amigo tísico, o como en esta ocasión, sin más explicaciones, con esa palabra tan vaga: «Un asuntillo». Y Alves sonreía. Empezaba a desconfiar de aquel «asuntillo».

Machado tenía veintiséis años y era un joven apuesto. Con su bigotito rubio, el pelo rizado y cierto aire elegante, gustaba a las mujeres. Desde que eran socios, Alves le había conocido tres relaciones: una española que, apasionada por él, había dejado a un brasileño rico, un antiguo cacique de provincias que le había puesto casa; después una actriz del Dona Maria, que no tenía más que unos bonitos ojos; ¡ahora aquel «asuntillo»! Pero estos nuevos amores seguramente eran más delicados, ocupaban un lugar mayor en el corazón y en la vida de Machado. Godofredo lo presentía, por cierto aire inquieto y preocupado del socio, como algo contrariado, triste a veces… Por lo demás, Machado nunca le había contado sus aventuras, jamás le había mostrado la menor efusividad, una confidencia… Eran íntimos. Machado pasaba muchas noches en su casa, trataba a Lulú casi como a una hermana, comía allí todos los domingos. Por haber entrado en la firma comercial hacía poco o por ser diez años más joven o porque Alves fue amigo de su padre y uno de sus testaferros, o incluso tal vez por estar casado, Machado mantenía hacia él cierta reserva, un ligero respeto, y nunca se había establecido una verdadera camaradería entre ellos. Por eso Alves tampoco le interrogaba. El «asuntillo» no pertenecía a los intereses de la firma, él nada tenía que ver con aquello.

A pesar de aquellas repetidas ausencias, Machado continuaba siendo muy trabajador, atado a la mesa diez y doce horas los días de flete, activo, sagaz, desviviéndose por el bien de la compañía; y Alves no podía dejar de confesar que, si en la firma él representaba la buena conducta, la honestidad, la vida regular, la seriedad de costumbres, Machado representaba la astucia comercial, la energía, la decisión, las grandes ideas, el olfato en los negocios.

Él, Godofredo, había sido siempre de naturaleza indolente, como su padre, quien, por gusto, se hacía llevar de una habitación a otra en silla de ruedas.

Por lo demás, a pesar de sus principios severos de chico educado en los jesuitas, lleno de buenos sentimientos y que nunca antes de casado había tenido ni una aventura ni unos amores irregulares, sentía por estas «ligerezas» de Machado una vaga y simpática indulgencia. En primer lugar, conocía a Machado desde pequeño, cuando era un hermoso querubín; después nunca dejó de impresionarle la buena familia del socio, su tío el vizconde de Vilar, sus relaciones sociales, las atenciones que le dispensaba doña Maria Forbes, que lo invitaba a sus jueves, pese a ser un hombre de negocios. Admiraba en él las buenas maneras y la elegancia exquisita; le impresionaba aquel aspecto, aquella distinción de Machado. Pero aun había otra razón, una razón de temperamento, para que él no dejase de simpatizar vagamente, a su pesar, con las aventuras amorosas de Machado. Y es que, en el fondo, aquel hombre de treinta y siete años, un poco calvo ya, de poblado bigote negro, era todavía, pese a las preocupaciones del negocio, algo romántico. Lo había heredado de su madre, una señora flaca que tocaba el arpa y se pasaba la vida leyendo versos. Fue ella quien le puso aquel nombre ridículo de Godofredo. Más tarde, todo ese sentimentalismo que durante largos años se había volcado en la literatura, en los claros de luna, en los amores novelescos, se volvió hacia Dios, en un principio de monomanía religiosa. La lectora de Lamartine se convirtió en una devota maniaca del Cristo de los Pasos, y sus últimos días fueron un largo terror al infierno. Él había heredado algo de las tendencias de su madre. De joven había sentido toda suerte de entusiasmos fluctuantes, que iban desde los versos de Garrett al Corazón de Jesús. Tras pasar unas fiebres tifoideas, se calmó; y cuando llegó el momento de hacerse cargo del negocio de exportaciones de su tío, era un hombre práctico, que veía la vida por su lado serio y material. Con todo, le había quedado en el alma un fondo de sentimentalismo romántico que se resistía a morir; así, le gustaban el teatro, los dramones, los incidentes violentos. Leía muchas novelas; las grandes acciones, las grandes pasiones lo exaltaban, y a veces se sentía capaz de algún heroísmo o alguna tragedia. Pero todo esto era muy vago, casi inconsciente, que se movía sordamente en el fondo del corazón; y si las pasiones románticas le interesaban, con toda seguridad nunca había pensado en probar sus mieles o sus amarguras. No, él era un hombre casto que amaba a su Lulú; solamente le gustaba verlas en el teatro o en los libros. Y ahora la novela que presentía allí, a su lado, en el despacho, le interesaba. Era como si los fardos, el papeleo, se espiritualizasen con aquel ligero perfume de aventura que emanaba de Machado...

De nuevo la puerta verde se abrió y la cara amarillenta del contable apareció por ella. Venía a devolver la carta del señor Machado, y antes de retirarse, con la puerta entreabierta, le recordó:

—Hoy es la reunión general de la Transtagana.

Alves se quedó sorprendido:

—Entonces... ¿Hoy es nueve?

—Sí, hoy es nueve.

De hecho, sabía perfectamente que era día nueve, pero la idea de la reunión anual de la Transtagana le había traído bruscamente el recuerdo de su aniversario de bodas. Durante los dos primeros años había sido un día de fiesta íntima, con una bonita cena a la que asistía la familia, y un pequeño baile por la noche al son de un sencillo piano. Después, el tercer aniversario coincidió con los primeros días de luto por su suegra, cuando en casa, aun triste, Lulú lloraba por los pasillos. Y ahora este día de fiesta se deslizaba, casi había pasado, y ni uno ni otro habían pensado siquiera en ello. Lulú no se había acordado, seguro. Al irse él por la mañana, ella estaba pintándose frente al espejo, ya en pie, y no le había dicho nada. Era una pena que aquel bonito día terminase así, sin que se abriese una botella de oporto, sin al menos unas buenas natillas de postre. Además, debía haber invitado al suegro y a la cuñada, aunque últimamente sus relaciones se hubiesen enfriado y hubiera habido un alejamiento por culpa de una criada nueva que se había hecho todopoderosa en casa del viudo.

Pero en fin, en una fecha como aquella, festiva, de aniversario, esas cosas se olvidaban, el sentimiento familiar predominaba. Y decidió entonces correr a la Rua de S. Bento, recordarle a Lulú aquella gran fecha y mandar un aviso al suegro, que vivía en Santa Isabel. Eran casi las tres, la correspondencia estaba firmada, no había más quehaceres ese día, en aquella especie de sosiego que siempre seguía a las prisas de los días de flete. Y tomando el sombrero, regocijado por el medio día de asueto, se alegró con la idea de ir a sorprender con un buen abrazo a su querida Lulú. Sólo le contrariaba una cosa: que Machado estuviese en Lumiar y no pudiese cenar con ellos.

—¿Volverá? —preguntó el contable al verlo con el sombrero puesto.

Godofredo pensó por un momento en invitarlo, pero temió que Machado se ofendiese, viendo que su lugar en la mesa se ocupaba tan fácilmente.

—No volveré. Si acaso apareciese el señor Machado, no lo creo, pero en fin, si apareciese, dígale que lo esperamos en casa a las seis… como habíamos quedado.

Al bajar la escalera, se sentía tan contento como si se hubiera casado el día anterior. Con aquel calor, tenía unas ganas enormes de entrar en casa, ponerse su chaqueta de lino, meter los pies en las chinelas y quedarse allí esperando la cena, gozando en su interior con los movimientos y la presencia de su hermosa Lulú. Y con esa ola de felicidad que lo invadía, tuvo la brillante idea de llevarle un regalo. Pensó en un abanico, pero al cabo se decidió por una pulsera que había visto días atrás en el escaparate de una joyería: una serpiente de oro, con dos ojos de rubíes, mordiéndose la cola. Y ese regalo tenía un significado: simbolizaba la eterna sucesión, la vuelta regular de los días felices, algo que siempre está girando en un círculo de oro.

Únicamente temía que la joya fuese cara. Pero no: sólo cinco libras; y como, mientras él la examinaba, el joyero le aseguró que un día antes había vendido una igual a la señora marquesa de Lima, no lo dudó más y pagó en seguida. Y aun no había dado dos pasos en la calle cuando se paró bajo una sombra, abrió de nuevo el estuche y le dio otro vistazo; tan contento estaba él con su compra. Y se enterneció, como le ocurre siempre a quien ofrece un regalo: como una pequeña puerta abierta en el egoísmo y en la avaricia natural del hombre a través de la cual irrumpiese la onda expansiva de la generosidad latente. En ese momento, Godofredo deseó ser rico y poder ofrecer a Lulú un magnífico collar de brillantes. Estaban casados hacía cuatro años, y nunca había habido ni una nube entre ellos.

Desde que la vio una tarde en Pedrouços, la adoraba. Sin embargo, podía confesarlo ahora, al principio le tuvo miedo. La juzgó imperiosa, orgullosa, exigente, seca. Todo ello a causa de su espléndida estatura, de sus grandes ojos negros, del porte erguido, del pelo rizado y ondulado... Pero al final, dentro de aquel cuerpo magnífico de reina bárbara, encontró un corazón de chiquilla. Era buena, era caritativa, era alegre, y su temperamento discurría uniforme y apacible como la superficie transparente de un río en una tarde de verano.

Sólo durante un tiempo —hacía cosa de cuatro meses—, ella había mostrado cierta aspereza, un poco de melancolía, una pizca de nervios; incluso él supuso que... Pero no, no era eso, desgraciadamente. Sólo eran nervios, y habían pasado; se produjo una reacción, y nunca como en los últimos tiempos había sido tan tierna, tan alegre, llenándolo de tanta felicidad…

Y todo esto le bailaba alegremente alrededor del corazón mientras subía con la calorina, bajo su quitasol, la Rua Nova do Carmo. En lo alto de la calle, en el restaurante Mata, hizo una parada para encargar una empanada de atún para las seis. Compró además fiambre y un queso de la sierra, y miraba a su alrededor para ver que más podía llevar, con la alegría y la avidez de un pájaro que provee su nido. Subió por el Chiado. Se detuvo un momento para contemplar respetuosamente a un gran hombre, un gran poeta y gran historiador, que en ese instante, ataviado con una vieja chaqueta de alpaca y sombrero de paja, conversaba a la puerta de la librería Bertrand, con su enorme pañuelo floreado preparado para sonarse. Godofredo admiraba sus novelas y su estilo. Luego compró unos puros para su suegro, para después de la cena. Descendió, finalmente, por la Calçada do Correio, que centelleaba bajo el sol, polvorienta y seca. A pesar del calor, caminaba deprisa, palpando de vez en cuando el estuche de la pulsera, que había metido en el bolsillo de la chaqueta.

Había llegado a la Rua de S. Bento, a media docena de pasos de su casa, cuando, en la pastelería, vio a su criada Margarita esperando en el mostrador. Comprendió que Lulú no se había olvidado del día, de la fecha feliz: Margarita había ido a comprar dulces, postres.

En dos zancadas, entró en su portal. Era una casa de dos pisos, pintada de azul, comprimida entre dos grandes edificios sórdidos. Él ocupaba el primer piso, y pese a que no se trataba con los vecinos de arriba, gente alborotadora y ordinaria, y disgustarle que ellos se beneficiaran del lujo de la entrada, había mandado últimamente, a petición de Lulú, alfombrar la escalera. Y no se arrepentía; siempre era un placer renovado el que, al entrar en casa, sentía bajo los pies con aquella alfombra que se desenrollaba por los escalones, y que le transmitía una sensación de sólido bienestar. Aquella alfombra le inspiraba una mayor consideración hacia sí mismo. Margarita, que había salido apenas un instante, había dejado la cancela abierta; un profundo silencio reinaba dentro de la casa; todo parecía adormecido bajo el bochorno del día. Un luz fuerte caía por la claraboya y el cordón de la campanilla, con su borla escarlata, pendía inmóvil.

Se le ocurrió entonces una idea absurda propia de un novio juguetón: ir de puntillas hasta el cuarto y sorprender a Lulú, que habitualmente a esa hora solía vestirse para la cena. Y sonreía ya ante el gritito que ella iba a dar, quizá en enaguas, con sus bellos brazos desnudos... La primera estancia era el comedor, que se comunicaba, a través de dos puertas con gruesos cortinajes, con el tocador de ella y con la sala de visitas. Entró. En la esterilla del suelo, sus zapatos de verano, de suela fina, no hacían el menor ruido. Las habitaciones parecían deshabitadas, en tan completo silencio que se sentía el rumor de la fritura en la cocina, y se oían en el balcón los saltitos del canario en su jaula. Se dirigió hacia la puerta del tocador, y sonriendo, iba a abrirla para asustarla, cuando de la sala de visitas, a través del cortinaje medio corrido, le llegó un rumor ligero, indeterminado, como un vago suspiro, un requiebro muy leve. Godofredo se giró al sentirla allí; espió... Y lo que vio —¡santo Dios!— le dejó petrificado, sin respiración, con la cara congestionada, y un dolor tan agudo en el corazón que casi se cae: sobre el canapé de damasco amarillo, delante de una mesilla donde había una botella de oporto, Lulú, con una *robe-de-chambre* blanca, se recostaba, abandonada, sobre el hombro de un hombre que le pasaba el brazo por la cintura, contemplándole el perfil con una mirada llena de languidez. ¡Era Machado!

II

AL ESTREMECERSE LA CORTINA, Ludovina le vio, y dando un grito, saltó instintivamente lejos del sofá. Godofredo oyó aquel grito, pero no podía moverse. Sin saber cómo, se encontraba tirado en una silla, junto a la puerta, y temblaba, temblaba como en un acceso de fiebre, traspasado de frío. A través del rumor febril que le henchía la cabeza y lo dejaba sin ideas, percibía todo el revuelo que se había formado en la sala: pisadas apresuradas sobre la alfombra, unas palabras intercambiadas en un soplo, con angustia... El cerrojo de la puerta que daba a la escalera se corrió; luego, silencio... Entonces, súbitamente, la idea de que ambos habían huido le restituyó bruscamente las fuerzas. La furia se apoderó de él, y de un brinco se plantó en la sala. Pero tropezó en una piel de zorro que adornaba el suelo y se estrelló ridículamente contra la alfombra.

Cuando se levantó, furioso, con los puños cerrados, la cortina de la puerta de la escalera se balanceaba mecida por la brisa: no había nadie en la sala. Corrió al rellano; la escalera se prolongaba bajo la luz viva de la claraboya, con sus grandes aires de decencia burguesa. Enloquecido, se precipitó hacia la ventana; en la calle, a trancos largos, Machado se alejaba con el quitasol en la mano. ¿Dónde estaba ella entonces? Cuando se dio la vuelta, en medio de la sala, vio a Margarita, espantada, con su paquete de pasteles en la mano.

—¿Dónde está ella? —le gritó Godofredo.

Al principio la chica no comprendió; pero de repente dejó caer el paquete, se llevó el delantal a los ojos y rompió a llorar. Él la apartó, casi la tiró al suelo, y corrió a la cocina: con la puerta cerrada, cantando en alto hacia el patio y limpiando su pescado, la cocinera no había oído nada, ni sabía nada. Entonces Godofredo, dando la vuelta, se lanzó contra la puerta de Ludovina: ¡estaba cerrada!

—¡Abre o la tiro! —bramó.

No hubo respuesta. Él pegó el oído a la madera: de dentro provenía un vago sollozar, como un suspiro de terror y de angustia...

—¡Abre o la tiro! —gritó de nuevo, y lleno de ideas sanguinarias, asestó un puñetazo en la puerta, como si estuviese golpeando sobre el cuerpo de ella.

Entonces, desde dentro, una voz afligida respondió, suplicante:

—¡Pero no me hagas daño!

—Te juró que no te haré nada... ¡Abre! ¡Abre!

La cerradura chirrió. Él se precipitó dentro, mientras que Ludovina, con su gran bata blanca, se refugió tras la cama, apretando las manos, con los ojos desorbitados por el pavor y cubiertos de lágrimas.

Y frente a aquella mujer que lloraba, su furia cesó, y allí se quedó, con la voz ahogada, atravesándola con una mirada de loco, casi llorando también. Despacio, dio dos pasos hacia él, con los brazos abiertos, y temblándole la voz, temblando toda ella, gritó entre lágrimas:

—¡Oh, Godofredo, por tu bien, perdóname! ¡No he hecho nada malo, y era la primera vez!

Y él, con la voz ahogada y los dientes cerrados, apenas conseguía articular:

—La primera vez…. La primera vez…

Su cólera aumentaba, y estalló en un rugido:

—¿Y qué que fuese la primera vez? ¡Y además, con quién, infame! Tendría que matarte. Vamos, vete ahora mismo, sal de aquí, déjame… ¡Vete, vete!

Ella salió llorando desesperadamente; y al volverse, Godofredo vio, junto a la puerta del corredor, a la cocinera que curioseaba, con los ojos atentos, y detrás, en la sombra, a Margarita, inquieta y encogida, curioseando también.

—¿Qué hace usted ahí? —rugió él—. ¡A la cocina! Y la que rechiste se va a la calle.

Dio un portazo y se puso a pasear furiosamente por la habitación, donde el gran lecho conyugal, con las dos almohadas unidas, ostentaba su blancura. Y con la cabeza hirviendo, las ideas se le iban aclarando. Decidió en seguida batirse con Machado en un duelo a muerte, y a ella, mandarla a casa del padre. Pensó también en enviarla a un convento, pero le pareció más deprimente para ella y más digno para él, simplemente devolvérsela al padre. Y nada más medir, calibrar, concretar estas dos resoluciones, su enorme cólera se apaciguó.

Ahora sentía una tristeza intensa, negra, que se entremezclaba con la necesidad imperiosa, fría, aguda, de vengarse… Y la casa parecía de nuevo adormecida por el sol, y sólo permanecía en el ambiente una especie de calor sordo de la cólera que por allí había pasado.

Godofredo procuró componer el semblante; se arregló la corbata frente al espejo, y empujando la puerta, entró en el comedor. Allí estaba ella, sentada en una silla pegada a la pared, con el pañuelo en la mano, llorando bajito y sonándose entre lágrimas. Su bonito cabello negro todavía estaba metido en una red roja, y la bata, que se había desabrochado, dejaba ver un poco del encaje de la camisa, la blancura de su seno… Él apartó la vista: no la quería ver llorar. Y vuelto hacia la ventana, seco y duro, dijo:

—Recoja sus cosas para irse a casa de su padre.

Siempre con los ojos vueltos hacia el ventanal, sintió que por detrás de él el suave lloro había cesado. Pero ella no contestó. Godofredo esperó una súplica, un gesto de amistad, una palabra de arrepentimiento, pero sólo la oyó sonarse. Entonces se tornó cruel:

—En mi casa —continuó, siempre vuelto hacia la ventana, con una voz mordiente que debía de quemarla—, no quiero prostitutas. Puede llevarse todo… Todo lo que sea suyo, lléveselo. ¡A la calle!

Se dio la vuelta y fue a encerrarse en su gabinete, una especie de aposento pequeño donde sólo tenía un escritorio y una estantería. Se sentó, preparó el papel y puso arriba la fecha, con mano temblorosa, que hacía irregular su bonita cursiva comercial. Luego dudó si poner *Querido padre* o solamente *Muy Sr. mío*; se decidió por esta última fórmula, porque al final, ahora, cualquier parentesco había acabado: ¡ya no tenía familia! Y delante del papel en blanco, se quedó pensando, dándole vueltas a esa idea: ya no tenía familia. Una tristeza inmensa lo invadió, sintió una gran compasión por sí mismo. ¿Por qué le sucedía esto a él, tan bueno, tan trabajador y que la amaba tanto? Una lágrima le vino a los ojos. Pero no se quería conmover, quería escribir, fríamente, rápidamente, su carta. Al sacar el pañuelo para secarse los ojos, encontró una caja, ¡el estuche de la pulsera! La abrió: en su nido de seda, la serpiente de oro con ojos de rubíes, se enroscaba, mordiendo la cola. Allí estaba el hermoso símbolo de la eterna sucesión de los días felices, que vuelven, uno a uno, como algo que siempre está girando en un círculo de oro. Y sintió un furioso deseo de humillarla, de echarle en cara todas las atenciones que había tenido con ella, sus sacrificios, los trajes que le regaló, los caprichos con que la complació… y el palco en el teatro de San Carlos, y la dedicación de su amor. No se contuvo, volvió al comedor, con los labios llenos de reprobaciones.

Ella aun seguía allí, pero ahora de pie, e igual que él un poco antes, con la mirada clavada estúpidamente en la casa de enfrente, limpiándose los ojos. La luz bañaba su hermoso perfil y la suave línea de la falda continuaba la gracia de su cuerpo. Súbitamente, Godofredo sintió que las palabras se le secaban en la boca. No hallaba el pie para comenzar sus invectivas y, de cara a la otra ventana, se retorcía furiosamente el bigote, con el corazón atormentado y los labios estériles. Por fin, una idea absurda surgió de su fondo romántico: tiró la pulsera encima de la mesa y gritó:

—Mete esto también en la maleta; te la había comprado hoy; es un regalo…

Ella, instintivamente, echó una mirada a la pulsera. Después comenzó de nuevo a llorar.

Aquellas lágrimas mudas le importunaban, le enervaban:

—¿Para qué lloras? ¿De quién es la culpa? Mía, no, que aquí nunca te faltó nada.

Entonces explotó. Paseando por la habitación, en voz baja y rápida, le echó en cara toda su ternura, toda su dedicación. Ella se había dejado caer sobre una silla, sin dejar de llorar; parecía llorar eternamente. Le gritó:

—¡Déjate de llantos, habla! Di algo, explícate... ¿No tienes ninguna disculpa? ¿Fuiste tú la que le buscó, la que le provocó?

Ella levantó vivamente la cabeza. Un resplandor le brilló en los ojos a través de las lágrimas. Y ávidamente, como quien se agarra para no caer, acusó a Machado. Había sido él, sólo él tenía la culpa. Todo había comenzado hacía cuatro meses, cuando él había dejado a la del teatro. Entonces empezó con ella, la hablaba, le escribía y la tentaba, y aparecía por allí cuando Godofredo estaba en el despacho, y un día, en fin, casi a la fuerza...

—Te juro que fue así... Yo no quería, se lo imploré... Luego tuve miedo de que Margarita oyese el alboroto...

¡Godofredo escuchaba lívido!

—Déjame ver sus cartas —dijo por fin con una voz que apenas se le oía.

—No las tengo...

Él se dirigió hacia el cuarto, diciendo:

—¡Las encontraré!

Ella se levantó con un grito, rodeándole con los brazos:

—Te juro que no las tengo. Que Dios me guarde... Se las entregué todas hace unos días.

Él la apartó y fue al tocador. Justamente, el manojo de llaves estaba sobre el mármol, entre los frascos. Y comenzó una búsqueda desesperada entre los pañuelos, los encajes, las cajas de abanicos, todas esas cosas íntimas de mujer...

Ella a veces le sujetaba del brazo, le juraba que no tenía cartas. Pero él, tranquilamente, la apartaba y continuaba devastando los cajones. Un abanico de marfil se rompió al caerse; un rosario de cuentas con su cruz yacía en el suelo.

Y ya creía que ella estaba diciéndole la verdad, cuando vio el mazo de cartas, atadas con una cinta de seda, expuestas estúpidamente a su vista desde el principio, entre dos cepillos. Se las arrebató. No eran cartas de él; eran de ella. La primera que abrió comenzaba así: *Ángel mío*. Tranquilamente, las metió en el bolsillo y volviéndose hacia ella, que se había quedado postrada al lado de la cama, le dijo:

—Arréglese para salir hoy mismo.

Volvió a su gabinete, y allí, una por una, leyó todas las cartas. No podía haber nada más imbécil; era la perpetua repetición de frases hechas y engoladas: «Mi ángel adorado, ¿por qué no hizo Dios que nos encontráramos antes?...», «Mi amor, ¿piensas en aquella que daría la vida por ti?...». E incluso esto: «Ay, cuánto daría por tener un hijo tuyo...». Y cada frase le caía en el corazón como un golpe sordo que lo derruía. Una sobre todo le enfureció; comenzaba así: «Riquiño[1] de mi alma, qué tarde la de ayer...».

Entonces, vivamente, casi rasgando el papel con la pluma, le escribió la carta al suegro, cuatro simples palabras: que había encontrado a su mujer con otro hombre y que él deseaba que la viniera a buscar y la recogiese; «si no, la pondría en la calle como una meretriz, indiferente al destino que corrie-

---

[1] Diminutivo portugués de Henrique. *(N. del T.)*

ra». Y en una posdata añadía que iba a salir de cinco a siete, y le pedía que aprovechase esa ausencia suya para ir a buscar a su hija. Se metió la carta en el bolsillo, se compuso la chaqueta, pasó instintivamente la manga por la seda del sombrero y salió.

En la escalera se encontró con un chico con delantal blanco y un cesto en el brazo.

—¿Vive aquí el señor Alves?

Eran la empanada, el fiambre, el queso de la sierra, todas las cosas ricas que él había comprado. Una oleada de tristeza le ahogó el corazón. Tuvo que agarrarse a la barandilla para no desfallecer.

—¿Es lo del restaurante Mata? —preguntó con esfuerzo.

—Sí, señor —respondió el chico, espantado ante aquel señor que parecía tan enfermo.

Godofredo murmuró:

—Sube, llama arriba…

Se quedó a la escucha. Oyó llamar al chico, abrirse la puerta, luego la voz de Margarita diciendo hacia dentro:

—Es un chico que trae una empanada, señora…

Entonces Godofredo bajó las escaleras de cuatro en cuatro; una vez abajo, dominado por la decencia grave de la entrada, intentó calmarse, se abotonó la chaqueta, se pasó las manos por la cara y salió con ese aire de sólida prosperidad que lo hacía tan respetado en el vecindario.

III

Por suerte, enfrente del colmado estaba un mandadero que a veces le hacía recados y conocía la casa del suegro. Le entregó la carta, indicándole que se la entregase en mano y no esperase respuesta; y como conocía la honradez de aquel hombre encanecido en el servicio del barrio, añadió:

—Ten cuidado, va dinero dentro… Un billete.

El viejo se guardó el sobre en las profundidades del pecho, debajo de la camisa.

Y a continuación, a distancia, Godofredo se puso a seguir aquella carta. Vio entrar al hombre en la casa donde vivía el suegro, un edificio de cuatro pisos, sucio, con una tienda de muebles viejos debajo. Neto vivía arriba del todo, en el piso que daba a un balcón, donde había un tiesto con flores. Durante un rato, que le pareció una eternidad, estuvo, desde lejos, vigilando la puerta. El recadero no bajaba y le entró miedo de que el suegro no estuviese en casa. ¿Y si hubiera salido? ¿Y si regresaba tarde? ¿Y si cenaba fuera? No daría señales hasta la noche. Y él, ¿qué habría de hacer? ¿Vagar por las calles a la espera de que su mujer se marchara? Todo esto le transmitía una sensación terrible de abandono, de desorden, como si se hubiese acabado para siempre la regularidad de las cosas. De repente, vio al recadero; había entregado la carta al señor Neto y había bajado de inmediato, sin esperar. Godofredo, aliviado, siguió caminando sin rumbo. Instintivamente, sus pasos hicieron el camino habitual de todas las mañanas, el camino a su despacho. Descendió por el Chiado. En la Rua do Ouro se detuvo un momento a mirar una pistola, en el escaparate de Lebreton, y la idea de la muerte se le pasó por la cabeza. Pero no quería pensar en ello ahora, ni en su duelo. Después, a las siete, cuando regresara y se encontrase la casa vacía, entonces sí, pensaría en el duelo, en el ajuste de cuentas con el otro. Y siguió andando sin rumbo. Por un momento pensó en ir al Passeio Público, pero temió encontrarse con Machado. Continuó por el Terreiro do Paço, por el Aterro, casi hasta Alcântara. Iba como un sonámbulo, sin reparar en la gente que lo empujaba, ni en la belleza de aquella tarde de verano, que moría en un esplendor de oro vivo. No pensaba en nada. Tenía en el cerebro una especie de fluctuación de pensamientos en la que ocurría toda suerte de cosas: recuerdos de su cortejo a Ludovina, los paseos que había dado junto a ella; después, la forma en que ella estaba recostada en el brazo del otro, con la botella de oporto delante. Y cada instante le volvían a la memoria fragmentos de sus cartas: «¡Ángel mío, por qué no he de tener un hijo tuyo!». Era lo mismo que ella le decía, con los labios unidos a los suyos, de noche, al calor de la cama… ¡Ahora se alegraba de no tener un hijo de semejante infame!

Iba oscureciendo; pensó en volver. Le asaltó una enorme fatiga por todas las profundas emociones, por la caminata bajo el aire caldeado de aquel día de julio. Entró en un café, bebió un gran vaso de agua y permaneció sentado, con la cabeza apoyada en la pared, abandonado al placer del breve descanso, en la semipenumbra del café.

Un cálido crepúsculo envolvía la ciudad. Todas las ventanas abiertas respiraban tras el bochorno del día; se iba encendiendo una luz tras otra, y se veía pasar a la gente acalorada con el sombrero en la mano.

Y sentía un vago placer en aquella penumbra y en aquel reposo. Tenía la impresión de que el dolor se le disipaba, se disolvía en la absoluta inacción del cuerpo, entre las sombras del anochecer. Y le entraban ganas de quedarse allí para siempre, sin que nunca encendieran las luces, sin que nunca se tuviese que mover ni que dar un solo paso más en la vida. Y la idea de la muerte le invadió de un modo insinuante y sereno, como el soplo de una caricia. Deseó verdaderamente morir. En aquel abatimiento en que su cuerpo había caído, todas las amarguras por las que tenía aun que pasar, todas las cosas crueles que tenía que realizar —la vuelta a la casa solitaria, el encuentro con Machado, los pasos que dar para conseguir testigos—, le parecían otros tantos esfuerzos intolerables, como rocas que sus pobres manos jamás podrían levantar... Sería delicioso recostar la cabeza en el muro y quedarse en aquel banco, muerto, liberado, fuera de todo dolor, habiendo salido de la vida con la silenciosa tranquilidad de una luz que se apaga.

Por un instante pensó en el suicidio. Y ni le aterraba ni le estremecía la idea de matarse. Solamente el buscar un arma, o dar un paso para tirarse al río, eran todavía esfuerzos, iniciativas, que le repugnaban en aquel desfallecimiento de la voluntad. Desearía morir allí mismo, sin moverse. Si una palabra bastase, una orden dada en voz baja a su corazón, para que se parase y se enfriara, diría esa palabra tranquilamente.

Y tal vez, quién sabe, ella llorase, tal vez sintiera su falta…

Pero, ¿y el otro?

Y ante esta idea, la idea del otro, recobró la decisión: una energía, vaga todavía, suficiente con todo para que se levantara y siguiera su camino. Sí, bien contento se pondría el otro si él desapareciese para siempre, esa misma noche. ¡Sentiría un completo alivio! Durante unos días, se mostraría pesaroso, quizá se sintiese realmente trastornado. Pero después la vida continuaría: la firma pasaría a ser Machado & C.ª. Él tendría otras amantes, seguiría frecuentando los teatros, poniéndose *cire-à-moustache* en el bigote… Este detalle lo irritó. ¡No era justo! Había sido el otro el que había causado todas aquellas ruinas, la destrucción de una hermosa felicidad… ¡Era el otro el que debía morir! Era Machado el que debía desaparecer; era Machado el que debía matarse. Eso sí sería más justo.

Y las cosas serían al contrario: la firma continuaría siendo Alves & C.ª, él podría, más tarde, reconciliarse con su mujer, y la vida seguiría, resignada y tranquila… Así debía ser. Dios, mirando a uno y a otro, midiendo los méritos y las culpas de cada uno, debía hacer desaparecer a Machado, inspirarle a él la idea del suicidio.

Y de entre estas dos figuraciones absurdas que se balanceaban en su espíritu trastornado —su suicidio, el suicidio del otro—, surgió una idea, como un rayo entre dos nubes cargadas, una idea nítida en todos sus aspectos, que le pareció justa, realizable, la más conveniente, la única digna: ¡proponer a Machado que uno de ellos se suicidase!

En ese momento, algo familiar en las casas junto a las cuales caminaba le hizo darse cuenta de que había regresado inconscientemente a la suya. Se detuvo, dominado por la imagen de Ludovina, contemplando la casa. Con su farol de gas al frente, resaltaba, entre los dos edificios altos, la decencia de su fachada aseada, pintada de azul. En su piso todo estaba apagado. ¿Aun seguiría ella allí? ¿Habría venido el padre a buscarla? Y una angustia terrible hacía palpitarle el corazón. Por un momento deseó que ella estuviera allí, pensó en la posibilidad de perdonarla, tanto le aterraba el aspecto de aquellas ventanas vacías. Pero luego sintió que frente a ella, a partir de ese momento, se quedaría helado, paralizado... ¡No! Sería mejor que no se viesen nunca más.

Entonces la curiosidad le llevó hasta la casa del suegro, al final de la calle. Allí estaba el alto edificio descuidado, sucio. En el tercer piso, el de su suegro, las ventanas respiraban la frescura de la noche, pero no salía luz de ninguna de ellas. Ni una ni otra de aquellas fachadas mudas le respondían, no le aliviaban el peso de la horrible inquietud.

Volvió a casa; empujó el portón. La escalera, alfombrada, dormía bajo la luz caliente del gas y el sonido amortiguado de sus pasos le parecía repercutir en un lugar desierto y cóncavo. Del segundo piso provenía un tenue sonido de piano, algo del *Fausto*. La gente de arriba era feliz; ¡tocaba el piano!

Fue a abrirle la cocinera, y algo indefinido en sus maneras le reveló a Godofredo que Ludovina se había marchado.

En el comedor, sobre el hule de la mesa, ardía una vela. La asió y entró en el dormitorio. Vio la maleta cerrada, el baúl… Pero aun había objetos de ella por todo el cuarto: sus zapatillitas junto a la cama, y sobre la *chaise-longue*, extendida, la bata blanca que llevaba por la mañana…

Cuando posó la vela sobre el tocador, su rostro se le apareció en el espejo, pálido, envejecido, mirándole con un aire extraño de ruina y abandono.

Con desgana, asió de nuevo la vela y fue a la sala de visitas. Habían quedado allí visos de la catástrofe: la piel de zorro enrollada a un lado; sobre la mesa, frente al sofá, la botella de oporto, y, en el borde de un plato, apagada, una colilla. Ante aquella colilla, resto del cigarro del otro, una cólera sorda le invadió; se sintió abofeteado por una mano de hierro; sintió el estremecimiento de un insulto mayor, y juró ser de bronce, no perdonar jamás, mandar él mismo las maletas y ver al otro a sus pies, muerto… ¡o morir él!

Pero inmediatamente decidió resistirse a aquel estado de perturbación, de inquietud. Quiso que en su espíritu reinase el orden, que todo en la casa retomase su aspecto regular y tranquilo. Ella se había ido; sus maletas seguirían allí esa noche.

En adelante sería un viudo, pero la marcha de la casa continuaría, sin desorden, serenamente.

Luego gritó a Margarita:

—¿Es que no se cena hoy en esta casa? ¡La hora que es y la mesa sin poner!

La chica le miró espantada de que quisiese cenar, de que se volviese a cenar en aquella casa. Iba seguramente a responder algo, pero él le clavó los ojos tan firmemente que ella salió enfilada, y en un momento puso la mesa, apresurándose, mostrando celo, como si quisiera hacerse perdonar su complicidad. Puso en la mesa todo lo que contenía la cesta: la empanada, el fiambre, el queso de la sierra...

Godofredo, mientras tanto, había ido a su gabinete. Ahora, aquella idea que lo había atravesado bruscamente al regresar de la amarga caminata por el Aterro, le volvía, más concreta, más nítida, instalándosele en el espíritu, erigiéndose en el centro de toda su actividad interior. Era muy sencillo: ¡echarían a suertes, él y el otro, cuál de los dos debería matarse!

Y eso no le parecía excesivo, ni trágico, ni un despropósito. Al contrario, era algo racional, digno, más viable, lo único posible. Creía estar razonando con la mayor claridad, muy fríamente. Un duelo a espada, dos hombres de negocios en mangas de camisa, lanzándose cuchilladas torpes y vanas, le parecía ridículo, y tampoco era serio intercambiar dos disparos, fallar ambos y, cada uno entre sus padrinos, volver a meterse ceremoniosamente en los carruajes.

No; para una ofensa como aquella, sólo cabía la muerte: una única pistola cargada, echada a suertes entre ellos, disparada a un palmo de distancia. Pero esto no sería factible, bien se daba cuenta. ¿Dónde encontraría testigos que lo consintiesen, que quisieran ser partícipes de la responsabilidad de esa tragedia? Inútilmente les explicaría la ofensa: el adulterio es un asunto grave para el marido; los demás lo consideran un fracaso que no exige esos excesos teñidos de sangre. Además, si fuese él el muerto, de acuerdo, se acabó. Pero si cayera el otro a sus pies, ¿cómo sería después su existencia? Tendría que huir, abandonar sus negocios, comenzar de nuevo en una tierra extraña. ¿Dónde? Y aun quedaba la mayor dificultad: ¿dónde encontraría padrinos que aceptasen tales condiciones? Sería un escándalo, un chismorreo, toda la verdad se difundiría, mientras que de la otra forma todo era fácil, secreto, decente, sin molestias para nadie. Lo echaban a suertes, y aquel que perdiese se mataría en el plazo de un año. Si perdiese él, no lo dudaría un instante, se mataría a continuación, y no tenía dudas de que Machado haría lo mismo. Sí; seguro que aceptaría. ¿Cómo podría negarse? Lo deshonraría, debía pagar con su sangre… Al mismo tiempo, un vago presentimiento le decía que sería él el sacrificado…

—¡Se acabó, tanto mejor! —pensó.

¿Qué gozo podía traerle ahora la vida, en aquella casa solitaria, siempre solo, sin que le quedara siquiera el gusto del trabajo y perdido el placer de gastar?

No lo dudó más. Escribió una nota seca a Machado, pidiéndole comparecer al día siguiente, domingo, a las diez de la mañana en el escritorio… Cerraba la carta cuando Margarita fue a decirle que estaba la cena en la mesa. Cogió rápidamente el sombrero, bajó a la calle, echó la carta en el buzón del colmado y, cuando entró en el comedor, Margarita y la cocinera, delante de la sopera fría, se pasmaban ante aquel comportamiento extraño del señor.

La presencia de la criada lo incomodaba. La sentía cómplice, confidente de aquella infamia. Pensó en despedirla. Pero, ¿no sería soltar por otras casas aquella lengua de chismosa, que contaría su caso y comentaría su desgracia? Prefirió conservarla, soportarla, mantenerla en silencio por miedo a ser despedida.

Había desdoblado la servilleta y destapado la sopera cuando la campanilla resonó con fuerza.

Margarita fue hasta la puerta mientras Godofredo se quedaba en suspenso, con el corazón en un puño… La muchacha volvió, corriendo, y exclamó con un tono igual que si anunciase la aparición de la Providencia, castigadora y reparadora:

—Señor, es el señor Neto.

IV

Neto entró. Al ver la mesa puesta, la gran empanada, el fiambre, y a Godofredo con la servilleta sujeta al cuello, con la botella al lado, se quedó perplejo junto a la puerta, con el sombrero en una mano, el bastón en la otra y las cejas levantadas, mudo de asombro.

Por fin, murmuró con una punta de amargura:

—¡Bien, veo que no falta apetito!

Godofredo se levantó en seguida y cogió una vela del aparador para dirigirse a la sala de visitas. Sin embargo, Neto no lo consintió:

—No, señor, tenemos tiempo para hablar; acabe usted de cenar.

Pero Alves, después de llevarse una cucharada de sopa a la boca, rechazó el plato y tocó la campanilla. Neto, mientras tanto, dejaba lentamente el sombrero y el bastón en una silla, llenando el silencio que se había hecho con la lentitud de sus movimientos. Neto era alto y en sus buenos tiempos había sido un hombre apuesto; conservaba todavía un buen aspecto, al que su extrema palidez daba un cierto aire de finura y distinción. Sobre la calva negreaban dos mechones de pelo, laboriosa y singularmente dispuestos; el bigote encanecido parecía cortado al ras, recto, de un solo tijeretazo, y sus más mínimos gestos tenían tanta afectación que, incluso en ese mismo momento, quitándose despacio los guantes, parecía estar cumplimentando un importante acto oficial.

La criada entretanto trajo el arroz hervido, y como se demoraba alrededor de la mesa, recogiendo, retrasándose con la esperanza de oír alguna palabra, Neto, con aires de hombre de sociedad, quiso mostrar indiferencia, adquirió un tono natural diciendo con sencillez que hacía «calor a rabiar».

—Mucho calor —repitió Godofredo, que desde la entrada del suegro, recostado en la silla, se retorcía la punta del bigote sin levantar los ojos del borde de la mesa.

Por fin salió la criada, con orden de esperar al siguiente toque de campanilla «para traer el resto». Después Godofredo se levantó y fue a cerrar la puerta. Entonces Neto, viendo que podía hablar libremente, se sentó en el extremo de la silla, permaneció un momento pensativo, restregándose las rodillas con las manos, y comenzó en un tono lento, con palabras estudiadas, con intención elocuente, para impresionar:

—Yo cumplí con mi deber de padre…

Esperó un momento, mirando hacia el yerno, esperando una interrupción, una palabra. Godofredo se servía el arroz.

Entonces Neto prosiguió:

—Cumplí con mi deber de padre, y lo estoy cumpliendo en este momento solemne… En cuanto recibí la carta, viendo que en esta casa había desavenencias, vine a buscar a mi hija, para darle tiempo al tiempo, para que puedan explicarse, para desembrollar el enredo... Cuando dos personas no están de acuerdo, es mejor que cada una tire para su lado. En la distancia, con frialdad, se trata todo mejor. Cara a cara, unas palabras llevan a otras, y todo se va al traste...

Las palabras solemnes iban escaseándole; acumulando expresiones vulgares, excitado, acabó diciendo disparates.

—En fin —concluyó—, lo que yo quiero saber es qué significa todo este escándalo.

Godofredo escuchó en silencio, pinchando distraídamente granos de arroz con la punta del tenedor. Estaba decidido a no alterarse, a ser respetuoso y rígido. Despreciaba al suegro por ciertas historias poco claras que sabía de él, sobre todo por sus amoríos con la cocinera. Aquel aire solemne no lo impresionaba, y con dos o tres palabras secas lo dominaría fácilmente.

—El escándalo no es ni más ni menos que lo que le escribí —dijo—. Encontré a su hija con un hombre y la mandé para su casa.

Neto se estremeció. Aquel tono seco le pareció un insulto. Se levantó con los ojos encendidos, la calva irritada:

—¡Ahora con esas! ¡Ahora con esas! ¿Y si yo no la quisiera en casa? ¡No está mal! ¿Se casa con una hija de buena familia, la tiene cuatro años en su poder, y al cabo de cuatro años le dice: ahora, niña mía, vuelve en compañía de tu padre? ¡No está mal! ¿Y si yo no la quisiera en casa, mi querido señor? ¿Y si yo no la quisiera en casa?

Braceaba, olvidadas todas las precauciones, con una voz que debía de oírse en la cocina.

Muy fríamente, Godofredo respondió:

—En ese caso, se queda en la calle.

Eso acabó de enfurecer a Neto.

—¿En la calle? ¿En la calle?

—Naturalmente. Me deshonró, deshonró mi casa; aquí no la consiento. ¡Que haga sus maletas, adiós!... Si ni su padre ni nadie la acoge, está claro que se queda en la calle.

Neto no podía creerse esta resolución implacable. Tenía los brazos cruzados y contemplaba al yerno con ojos llameantes:

—Vaya, déjeme que le mire... Déjeme mirarle, que es usted un monstruo. Entonces ¿quiere usted decirme que abandonaría a su mujer, que la dejaría en la calle, sin un rincón para resguardarse?

Tanta palabra torturaba a Godofredo. Era como hurgar en una herida que todavía sangrase. Se levantó, queriendo terminar la discusión, pero Neto no le dejó ni abrir los labios y le gritó:

—¡No se echa a una mujer de casa porque se la encontró sola recibiendo una visita!

Godofredo se le quedó mirando, con los labios trémulos, sin poder soltar las palabras, que le ahogaban. Era un horror decir en alto, allí mismo, a un suegro, cómo la había encontrado en los brazos de otro. Ante este silencio, Neto se exaltaba, triunfante:

—¡Hacen falta pruebas! La ley exige que sea en flagrante... Usted no vio nada, no encontró ni una carta...

Toda la cólera de Godofredo explotó:

—¡Cartas infames, señor! ¡Cartas obscenas, señor! ¿Sabe lo que le decía? ¡Que quería tener un hijo suyo! Un hijo que yo habría de vestir, de sustentar, de estimar, de educar... ¡Un hijo! ¡Ahí está la educación que usted le dio a su hija!

Neto se quedó cabizbajo. La hija no le había hablado de cartas. Se pasó la mano por los dos mechones de la calva, confuso, y murmuró tras un largo silencio:

—Las mujeres, cuando les da la ventolera, escriben cosas sin ton ni son…

Godofredo no contestó. Paseaba por la sala, con las manos en los bolsillos; sobre la mesa, su plato de arroz, olvidado, se enfriaba.

Neto bebió un gran vaso de agua, y súbitamente, como quien toma una resolución, dijo la cuestión suprema que lo había llevado hasta allí:

—Pero, en fin, ¿de qué quiere usted que ella viva? Yo no tengo para vestirla ni para calzarla…

Godofredo cesó de inmediato su lúgubre paseo. Lo esperaba, estaba preparado, tenía lista la respuesta, a la que dio un tono de dignidad, de hombre que está por encima de las miserias del dinero:

—Durante el tiempo que su hija esté en su casa y se porte bien, tendrá treinta mil reales al mes.

La calva de Neto se iluminó. Pareció súbitamente satisfecho, toda su cólera desapareció.

—Es razonable, es razonable —dijo en un tono casi enternecido.

Y los dos hombres se quedaron callados, como si no tuviesen nada más que decirse.

Godofredo tocó la campanilla, la criada acudió, lanzando desde la entrada una mirada curiosa sobre uno y otro.

—El café —dijo Alves.

—Y traiga una taza para mí, Margarita —añadió Neto, retomando en la casa la familiaridad de suegro.

Godofredo continuaba paseando por la sala. Neto se había sentado en la mesa y preparaba cuidadosamente un cigarro, mirando de refilón al yerno de vez en cuando. Le llevó una eternidad liar el cigarro; lo enrolló despacio, gordo, liso, y por fin, metiendo la onza de tabaco en la faltriquera, exclamó con un leve suspiró:

—¡Lo peor son las habladurías!

Godofredo no contestó; el otro prendió el chisquero y encendió pausadamente el cigarro.

—Y a usted, con su posición, no le hace sino mal…

Godofredo se giró, impaciente:

—¿Y de quién es la culpa?

Naturalmente, la culpa no era suya, bien lo sabía. Pero, en fin, lo mejor sería evitar las habladurías. Por lo menos al principio.

Margarita entró con el café. Godofredo se sentó. Y removiendo el azúcar, uno frente a otro, el suegro y el yerno estuvieron un rato callados. Neto probó el café y le puso más azúcar; después echó dos bocanadas de humo y volvió a su idea:

—Ni para usted ni para mí es bueno que se pongan a hablar por ahí.

Aquellas lentitudes, aquellas pausas, terminaron por irritar a Godofredo.

—¡Y qué diablos quiere usted que yo le haga!

Neto conservaba ahora su aspecto calmado y reflexivo. Y con voz tranquila habló de sus sentimientos. Él siempre se había tenido por un buen padre, y si no fuera por las circunstancias en que se encontraba, no aceptaría la mensualidad para la hija. No exigiría nada. Se la llevaba a casa; allí vivirían todos y se acabó. Y todo lo que fuese necesario hacer para detener el escándalo, lo haría por su cuenta.

Godofredo empezaba a comprender: Neto tenía alguna otra idea para sacarle más dinero. Quiso dejar las cosas claras:

—Venga, vamos a saber, sin más circunloquios, lo que usted está pensando.

Pero a Neto le gustaban los circunloquios.

El mejor medio de evitar el escándalo era salir de Lisboa. Además, la época les favorecía, era la temporada de los baños. Nadie se extrañaría de que él se fuese, por ejemplo, a Ericeira, con su hija la casada. Todo el mundo supondría que Alves no podría acompañarles a causa de sus negocios… Pero nadie sabría si él iba o no a ver a su mujer todas las semanas. La idea era excelente, pero…

Godofredo lo interrumpió:

—Pero quiere que le dé dinero para eso.

—A no ser que yo vaya a robarlo —confesó el otro con franqueza.

Godofredo reflexionó. Era una forma hábil de ir a pasar el verano a la playa a su costa. Pero al mismo tiempo la idea era práctica, acallaba las habladurías… Aceptó. Y en un momento convinieron los detalles. Para el alquiler de la casa, viaje, transporte de algún mueble, Godofredo daba treinta libras, y durante los meses de agosto, septiembre y octubre, la mensualidad de la hija, para gastos de playa, se elevaría a cincuenta mil reales. Y nada más decir esto, se levantó, queriendo por todos los medios concluir aquella entrevista:

—Y no hablemos más de esto, que estoy muy cansado.

En efecto, estaba pálido como un muerto, con un principio de jaqueca, con ganas de acostarse, de dormir, de olvidar por mucho tiempo. Pero Neto, de pie, aun quería añadir una última palabra. De ahora en adelante él era el responsable de su hija. Confiaba en Dios, tenía la certeza de que más tarde, pasado aquel primer disgusto, habría más indulgencia por ambas partes, y volverían a vivir juntos.

Godofredo negó con la cabeza y una sonrisa dolorosa: no, nunca volvería con ella.

—El futuro a Dios pertenece —dijo Neto—. Por ahora, estoy de acuerdo en que os mantengáis separados durante algún tiempo. Y aquí quería yo llegar: mientras esté en mi casa, es como si estuviera en un convento. Respondo por ella.

Godofredo hizo un ligero movimiento de hombros. Todo aquello le parecía palabrería. Lo que quería en ese momento era estar solo. Tocó la campanilla para llamar a Margarita, le mandó abrir la puerta y alumbrar al señor Neto. Este cogió el sombrero, bebió, ya de pie, el último trago de café, y tras estrechar la mano del yerno, salió, indicándole en voz baja a la criada que tuviese preparadas las maletas de la señora.

—Y me manda decirle que no se olvide del pequeño azucarero de plata que le regaló su padrino por su cumpleaños; es suyo.

Bajó las escaleras regocijándose de aquella gran idea. La hija no le había dicho nada del azucarero. Pero, en fin, era de ella, una bonita pieza de plata; no sería mal asunto llevársela también a casa.

Fuera, la noche era sofocante; Neto siguió hacia su casa, despacio, con el sombrero en la mano, calculando los gastos de la estancia en Ericeira, contento consigo mismo. Los baños le sentarían bien. Con los cincuenta mil reales al mes, se podía estar cómodamente, y como Lulú no debía dejarse ver, no habría gastos en vestidos; ¡todavía se metía dinero en el bolsillo!

Cuando, después de subir poco a poco los ciento cincuenta escalones, llamó a la puerta, Teresa, la hija soltera, le fue a abrir, corriendo, con los ojos brillantes, toda excitada. Nadie le había ocultado la verdad. Sabía ya que Lulú había sido sorprendida con un hombre, que el disgusto había sido enorme y que su padre había ido a mantener una conversación con Godofredo.

—¿Y bien? —preguntó ella con impaciencia.

—Venga para dentro, allí hablaremos —contestó Neto.

Atravesaron la cocina a oscuras, con el resplandor de las brasas del fogón donde hervía la tetera, y entraron en el comedor, una especie de cubículo en la trasera de la casa. Sentada en la mesa camilla, cubierta con un hule, la criada Juana, una muchachota lozana, con dos ricos pendientes de señora y vestida de merino azul, leía el *Diário das Novidades* a la luz de un candil de petróleo; junto al aparador, en la sombra, estirada en una silla de mimbre, callada, estaba Ludovina.

Cuando apareció el padre, se levantó, con los ojos aun rojos, toda vestida de negro. Neto se sentó y se secó el cuello con el pañuelo de seda. Los ojos de las tres mujeres le devoraban, y como él no se apresuraba, gozando con la ansiedad de la familia, fue Juana la que clamó:

—¡Venga, hable!

Él dobló despacio el pañuelo y respondió, en el silencio profundo de la habitación:

—Godofredo da treinta mil reales al mes.

Hubo un suspiro de alivio, corrió un hálito de satisfacción. Teresa miraba a la hermana, pasmada ante aquellos treinta mil reales, que le caían así en el bolsillo por haber sido encontrada con un hombre.

Entonces el padre se volvió hacia ella con el entrecejo fruncido:

—Me habías dicho que no habías escrito nada, y él dice que te encontró cartas indecentes.

—Es mentira —dijo ella simplemente—, las cartas no decían nada, eran un divertimento.

Hubo un silencio; Neto, sin levantar los ojos del borde de la mesa, se acicalaba con dignidad los mechones de la calva. Y las tres mujeres seguían mirándolo fijamente, esperando más detalles, la historia completa de la entrevista.

—¿Y las maletas de Lulú, papá? —preguntó Teresina, que vivía desde esa tarde con el deseo de ver llegar las maletas y deshacerlas para pescar algún regalo.

Pero el papá, absorto en su idea, continuó, sin responder a la hija:

—Y acordamos, para evitar habladurías, que vamos a pasar el verano a Ericeira.

Y entonces se produjo un estallido de alegría. Teresina aplaudió. Juana reía de satisfacción, ¡ella, que tan necesitada estaba de baños! Sólo Ludovina permanecía indiferente, con una sombra de tristeza en la cara, pensando en los estupendos planes de los que hablaba últimamente Godofredo: pasar los dos meses de agosto y septiembre en Sintra… Y fue a sentarse de nuevo, mientras Juana y Teresina asediaban a Neto con preguntas y planes, ambas entusiasmadas con aquel veraneo inesperado. Habían hecho ya mil proyectos. Teresina parloteaba alocadamente. Juana recordaba las cosas que sería necesario llevar: los colchones, la vajilla y el piano, para dar más alegría. Lo mejor sería ir todos a Ericeira para alquilar la casa. Entonces Ludovina salió de su silencio:

—Hace falta una casa en la que se quepa, porque para dormir en otro cuartucho como este, no tiene sentido.

Ante esta exigencia, el padre frunció el ceño:

—Dormirás donde puedas… Si querías las comodidades de la casa de tu marido, haberte portado bien y te hubieras quedado allí.

Hubo un silencio embarazoso. Nadie osaba replicar jamás cuando Neto levantaba la voz. En el silencio de respeto y de susto que se había hecho alrededor de su voz irritada, él se arrimó más a la mesa, sacó del bolsillo un lápiz, se ajustó las lentes y, bajo el candil, comenzó a hacer, en el margen blanco del periódico, el cálculo de los gastos de Ericeira.

Inclinada sobre la mesa, Teresina veía alinearse los números —tanto para casa, tanto para el viaje— como una sarta de placeres, que brillaban entre los guarismos. Por detrás, de pie, Juana daba su opinión. Dentro, en la cocina, la tetera con el agua hervía… Una tranquilidad honesta envolvía a la casa. Y en la sombra, Ludovina, callada, abatida ante la vida que ahora la esperaba —las incomodidades, la mala comida, el genio del padre, la autoridad de la criada en la casa, todo cuanto la esperaba y todo cuanto había perdido—, maldecía su estupidez por haber caído de esa forma en brazos de un sujeto que no la amaba, de quien no recibía ningún placer, llevada a aquello sin motivo, por tontería, por no tener nada que hacer, ¡ni ella misma sabía por qué!

V

A LA MAÑANA SIGUIENTE, un rayo de sol que se filtraba por la ventana despertó bruscamente a Godofredo. Se recostó de lado, y parpadeando por la luz cruda, se quedó espantado de encontrarse allí, en un sofá, vestido y con las botas puestas. De repente, el recuerdo de su desgracia le cayó a plomo sobre el corazón y un velo de luto pareció envolverlo todo a su alrededor.

La noche anterior, después de irse Neto, se había tumbado allí, muerto de cansancio, y se había quedado dormido con un sueño profundo y pesado. Se sentó en el sofá; reinaba un gran silencio en la casa y en la calle. Su reloj marcaba las seis. La habitación conservaba el desorden de la víspera, con las maletas en el centro y la bata de Ludovina tirada a los pies de la cama. Le echó una larga mirada a aquella bata, al gran lecho intacto, donde nadie había dormido, con las dos almohadas una junto a otra. Luego, como en la víspera, recorrió la casa. En el comedor, la mesa aun tenía el mantel sucio, y encima del aparador una vela olvidada se había derretido en la palmatoria.

Pero ante la puerta de la sala de visitas cierta cobardía le retuvo: no se atrevió ni a correr la cortina. Volvió a su cuarto y se sentó de nuevo en el sofá, con las manos inertes y la mirada perdida, sin saber qué hacer a aquella hora matutina en que la ciudad, a su alrededor, aun dormía.

A esa hora, seguramente, Ludovina aún descansaba… Y recordó las mañanas en que ella se despertaba temprano, se levantaba despacito e iba a abrir una rendija de la ventana, con su hermoso pelo en una redecilla, los encajes del camisón alrededor del cuello y las largas pestañas dibujándole una sombra en la cara… Ahora el lecho, yerto, sin deshacer, bajo la luz clara de la madrugada, le transmitía una sensación amarga de frío y desconsuelo… Le invadía una tristeza inmensa, sin fin, que le partía el alma, y le daban ganas de reclinar la cabeza en el brazo del sofá, quedarse allí, morir. Y la misma idea que el día anterior, la idea de la muerte, volvía a insinuársele en su interior con la lenta suavidad de una caricia…

Pensó entonces que de ahí a unas horas todo estaría resuelto, y tal vez él fuese un hombre muerto. Era a las diez cuando debía encontrarse con el otro. El corazón le palpitó con fuerza ante la idea de que iba a verlo otra vez: le resultaba imposible imaginárselo en otra actitud que no fuera la del día anterior, con el brazo en torno a la cintura de ella.

Con todo, ahora la idea de la víspera —el suicidio echado a suertes, que se la figuraba tan natural— le causaba cierto espanto. Le parecía extraño que fuese él, él, Alves, quien allí, en aquella casa de la Rua de S. Bento que el sol de la mañana doraba, hubiese tenido aquella idea trágica y propia de un corazón violento. Le inquietaba una cosa. ¿Qué diría el otro ante semejante proposición? ¿La rechazaría? Y otras pequeñas dificultades le asaltaban. ¿Cómo lo echarían a suertes? ¿Con unas papeletas? Y súbitamente temió que, ante una idea tan exaltada, el otro sólo se riese... En ese caso, ¡le abofetearía! Pero no era posible; no, no podía negarse, ¡era un hombre de honor! No dudaba de ello. Y ese pensamiento le mantenía ocupado, le impedía sufrir, le aportaba una especie de consideración por sí mismo, le atenuaba lo ridículo de su situación.

Al poco rato, sintió pasos en la cocina; las criadas se habían levantado. De la calle iba subiendo un rumor, el voceo de los tenderos, carros que pasaban, el murmullo confuso de una ciudad que despierta.

Y entonces, poco a poco, insensiblemente, Godofredo fue entrando en la rutina diaria; le puso los gemelos a la camisa limpia, afiló la navaja de afeitar... Pero aquella maleta grande en medio del cuarto le incomodaba...

De repente, se acordó de que debía hacer el testamento. Inmóvil frente al espejo, con la mitad de la cara enjabonada, se quedó dándole vueltas a esa idea. Y un ligero espanto, una extrañeza, le invadían, por estar allí, en su cuarto, en mangas de camisa, pensando fríamente en la muerte. Porque ahora, gradualmente, todos los pensamientos que durante la fiebre del día anterior le habían parecido simples y fáciles, iban adquiriendo, con la luz clara de la mañana, entre la rutina de su aseo, un aspecto poco natural, falso, que repugnaba al lado positivo de su carácter.

A las ocho sonó la campanilla. Se acercó a escuchar: en el rellano, cuchicheaban voces de mujer. Luego la criada anduvo de dentro para fuera. Percibió que era la criada de Neto, pero no osó hacer preguntas ni indagar qué quería.

Después vino el desayuno. Godofredo lo devoró. Echó en falta el fiambre en la mesa, y la criada, al traerlo, le informó de que la señora mandaría a la tarde por las maletas. Godofredo no respondió. Detestaba cada vez más a Margarita, que parecía seguir celando por los intereses de la señora, recibía sus recados y aun era su confidente; como faltaba el azucarero, se mostró áspero, exageró la falta y la amenazó con ponerla en la calle; y como la muchacha se iba rezongando, vociferó, irritado:

—¡Menos quejas!

A cada momento sentía que el corazón se le oprimía ante la idea de encontrarse con el otro. Pero había llegado la hora. Por temor a atravesar la calle, donde quizá ya se hablase de su desgracia, mandó buscar un coche. La criada tardó. El tiempo pasaba. Y él, nervioso, febril, iba de la ventana a la cancela poniéndose los guantes, con la extraña sensación de que el suelo que pisaba era blando y cedía bajo sus pies. Por fin el carruaje llegó y él bajó, con un nudo en la garganta y una angustia horrible. La voz casi se le apagó al dar la dirección de la oficina al cochero.

Una vez en marcha, le pareció que el coche volaba; con la emoción, se le iba revolviendo el estómago, y el desayuno se le ponía en el gaznate.

Al fin llegó; con su aturdimiento, no encontraba en el bolsillo una moneda para pagar al cochero.

La oficina dormía en el vasto silencio del día festivo, y cuando él empujó la puerta de bayetón verde, el reloj daba las diez, con aquel tono hueco al que los techos bajos conferían una sonoridad doliente y triste. Corrió a su despacho: le parecía que no había entrado allí hacía siglos y que había algo cambiado en los muebles y en el orden de las otras cosas. En su vaso, el ramo de flores acababa de secarse.

Bruscamente, se produjo una reacción en su interior. Ante aquellos muebles, aquellas dos mesas de socios, una junto a otra, rememoró una intimidad, una confianza de años, y se apoderó de él una cólera terrible. ¡Sí, Machado era un infame que merecía morir! Y cada objeto, las propias paredes, embebidas de la honra comercial que allí habitaba, era una acusación muda contra la traición del socio.

De repente, unos pasos leves sonaron fuera: era Machado. Godofredo, instintivamente, se refugió detrás de la mesa, revolviendo papeles con las manos trémulas y sin osar levantar la vista. La puerta se abrió y Machado entró, pálido como un muerto, con el sombrero y el bastón en una mano, y la otra en el bolsillo del pantalón, lo que le hacía un bulto sospechoso.

Pero Godofredo no lo había visto. Su mirada vagaba de aquí allá, sin atreverse a fijarla, y buscaba una palabra, algo profundo y digno que decir. Por fin, con esfuerzo, encaró al socio, y aquella mano en el bolsillo le puso en alerta; hizo un gesto instintivo, recelando un arma, un ataque. Machado comprendió. Lentamente, sacó la mano del bolsillo y fue a dejar el sombrero y el bastón sobre su mesa. Entonces Godofredo, trémulo, con prisa, con el ansia de romper aquel silencio, balbuceó algo lamentable:

—Después de lo que pasó ayer no podemos seguir siendo amigos…

Machado, que traía en su rostro contrariado una expresión de ansiedad, cerró los ojos y respiró más libremente. Esperaba una reacción violenta, algo terrible, y aquella moderación, aquel gemido triste de una amistad traicionada, le espantaron, casi le impresionaron. En ese momento deseó poder lanzarse a los brazos del socio, y con una emoción sincera y un nudo en la garganta, respondió:

—Desgraciadamente, desgraciadamente...

Godofredo le hizo señal de que se sentara y, cabizbajo, Machado se sentó en el borde del sofá tapizado de verde.

Godofredo se dejó caer como una masa inerte sobre el banco, junto a la mesa. Y durante unos momentos reinó un profundo silencio, más profundo si cabe en aquella calle comercial adormecida con la calma del domingo.

Godofredo se pasaba la mano trémula por la cara, buscando las palabras.

El otro aguardaba, mirando fijamente a la alfombra.

—Un duelo entre nosotros es imposible —dijo al fin Godofredo con esfuerzo.

El otro balbuceó:

—Estoy a sus órdenes; disponga...

—Es imposible —repitió Godofredo—. Se reirían de nosotros... Sobre todo con esos duelos que hay por ahí... Sería hacer el ridículo. No podemos con nuestra posición... Toda la ciudad se reiría de un duelo entre socios...

Se calló durante un rato, atormentado por la idea de que eran socios, y todo el pasado que los unía pareció alzarse ante Godofredo. No había sentido tan vivamente la infamia de Machado como viéndolo allí, en aquel despacho, donde habían trabajado juntos durante tres años. Y se desahogó:

—¡Su infamia no tiene nombre!

Se había levantado y su voz recobraba las fuerzas; su sentimiento de amigo traicionado le daba ahora una dignidad, una solemnidad que abrumaba al otro. Y le lanzaba las palabras como bofetadas: le conocía desde niño; fue él quien le protegió en sus comienzos; le dio entrada en su negocio; le abrió las puertas de su casa; ¡le recibió como a un hermano!

—¿Y qué hace usted a mis espaldas? ¡Deshonrarme!

El otro se levantó con el semblante angustiado, queriendo concluir con aquella tortura.

—Sé todo eso —balbuceó— y estoy dispuesto a darle todas las reparaciones, todas, las que sean.

Entonces Godofredo, exaltado, lanzó su idea:

—La reparación sólo puede ser esta: uno de nosotros tiene que morir… Un duelo es absurdo… ¡Echemos a suertes quién de nosotros ha de matarse!

Aquellas palabras patéticas, apenas las soltó, le parecieron sonidos extraños e incoherentes. La atmósfera plácida del despacho, los propios muebles, parecían repelerlas. Pero las había soltado, y sentía un alivio inmenso, habiendo desembarazado por fin el alma de aquella idea que desde el día anterior le llenaba de turbación y de tormento.

Machado se quedó mirándole con los ojos atónitos:

—¡Echarlo a suertes! ¿Cómo que echarlo a suertes?

Parecía no comprender. Ese suicidio, echado a suertes, se le figuraba algo grotesco y de loco.

Y como Godofredo continuaba de pie, junto a la mesa, sin decir nada, retorciendo nerviosamente las puntas del bigote, se impacientó y exclamó:

—¿Va en serio? ¿Ha dicho eso en serio?

Godofredo, vetado, miró hacia él. Lo que él se temía, estaba pasando. Machado encontraba aquello absurdo, se negaba. Y su furia aumentó, como si viera escaparse la venganza:

—Ya huyó usted ayer cuando lo sorprendí; huyó cobardemente. Ahora quiere huir de esto también…

El otro gritó, lívido:

—¿Huir de qué?

Una cólera sorda lo invadía y le encendía los ojos. Las acusaciones del otro lo habían exasperado. Luego venía aquella propuesta absurda de un suicidio echado a suertes. Ahora le insultaba. ¡No! ¡Eso no lo toleraría! Y ya excitado balbuceó:

—¿Huir de qué? ¿Huir de qué? Yo no huyo de nada…

—Entonces —le interrumpió Godofredo, golpeando con la mano en la mesa— echemos aquí a suertes quién de los dos debe desaparecer.

El otro le encaró un momento, con un odio frío, como si le fuera a estrangular. Después agarró vivamente el sombrero y el bastón, y desde la puerta, con una voz mordiente, decidida y vibrante, dijo:

—Estoy dispuesto a darle todas las reparaciones, incluso con mi sangre… pero ha de ser de un modo sensato y reglamentario, con cuatro testigos, a espada o a pistola, como desee, a la distancia que estime, un duelo a muerte, todo cuanto quiera, estoy a sus órdenes. Durante todo el día de hoy y de mañana esperaré en mi casa. Pero con ideas de loco no me trato… ¡Y no tenemos más que hablar!

Dio un portazo, sus pasos furiosos resonaron fuera un momento y todo volvió a quedar en un gran silencio.

Y Godofredo se quedó solo, con las ruinas lamentables de su gran idea, humillado, confuso, avergonzado, con las sienes latiéndole y sin saber lo que había de hacer.

VI

Finalmente, tal como había hecho Machado, agarró vivamente el sombrero y abandonó el despacho. Iba tan aturdi-
do, que sólo en la Rua do Ouro se acordó de que no había
cerrado la puerta con llave. Volvió atrás, y esto pareció poner
algún orden en sus ideas.

Estaba decidido a batirse con el socio en un duelo a muerte, y nada en el mundo parecía satisfacerlo sino ver a Machado a sus pies, con una bala en el corazón.

¿Cómo si no? ¡Aquel hombre le deshonraba, le robaba el
amor de su mujer y ahora, encima, le trataba como a un insensato y le llamaba loco! Y esto, sobre todo, le enfurecía, porque ahora notaba vagamente que aquella idea del suicidio al
azar tenía algo de absurdo. ¡Sí, quizá lo tuviese! Pero el otro
no debía decirlo, debía aceptarlo todo, resignarse a la reparación que él le exigiese.

¿No quería? ¿Reclamaba una reparación reglamenta-
ria y sensata? Pues bien, así sería: se batirían a pistola,
pero con una de las pistolas cargada y la otra no, echadas
a suertes, a un palmo de distancia. ¡Aun era el azar, aun

era la suerte, aun era dejarlo todo en las manos justas de Dios!

Mientras tanto, seguía raudo hacia el Rossio, donde vivía su íntimo amigo Carvalho, que había sido jefe de aduanas en Cabo Verde y se había casado rico.

Era al primero que se dirigía. Se lo contaría todo, confiándose a su vieja amistad. Después irían a buscar a su otro gran amigo, Teles Medeiros, hombre de fortuna y de mundo, que tenía panoplias de floretes en el salón y experiencia en cuestiones de honor.

Era mediodía; el sol de julio abrasaba las calles; y las tiendas cerradas, la gente con sus trajes de domingo, los carruajes de la plaza al abrigo de la sombra, aumentaban la sensación de calma y de inercia. Una fina polvareda empañaba el azul luminoso y un tañido de campanas se arrastraba pesadamente por el aire caldeado.

Cuando Godofredo trepaba por la escalera de Carvalho, se topó justamente con él, que bajaba, satisfecho y fresco, con su traje nuevo de cheviot claro, poniéndose los guantes gris perla.

La figura jadeante, el aspecto afligido de Godofredo, lo asustaron; dio media vuelta para subir de nuevo, abrió él mismo el pestillo de la cancela y le hizo pasar a un pequeño gabinete, donde había una estantería y una larga silla de mimbre con forma de cama de campaña. Al lado, alguien tocaba al piano un movimiento rápido de vals que hacía vibrar la casa.

Carvalho corrió la cortina, cerró la ventana y sólo después le preguntó qué pasaba. Godofredo dejó el sombrero en una esquina de la mesa, e inmediatamente se desahogó de un tirón.

Con las primeras palabras —sofá, brazo por la cintura— Carvalho, que se sacaba lentamente los guantes, se quedó petrificado en medio del gabinete, y cerró del todo la puerta, como si temiese que la historia de aquella traición esparciese un vaho indecente por la respetabilidad de su casa. Con la confusión con que Godofredo contaba su historia y la avidez con que el otro escuchaba, no se percibía bien quién era el hombre; Carvalho sólo comprendía que Machado estaba presente, y cuando descubrió que el hombre del sofá era el propio Machado, apretó las manos una contra otra con una exclamación de horror:

—¡Qué infamia!

—Un hombre que era como un hermano para mí —repetía Godofredo, bajando la voz y blandiendo los puños—. ¡Y me lo paga así! ¡No! Tiene que haber una muerte. Quiero un duelo a muerte…

Entonces el rostro barbado de Carvalho expresó una súbita inquietud. Ahora se daba cuenta: Godofredo no había ido allí sólo para desahogarse, ¡había ido a procurarse un testigo! Y se llevó un ligero susto de burócrata, le entró miedo a la ley, temor a comprometerse. Su egoísmo se revolvió frente a las cosas violentas y perturbadoras que presentía. Quiso quitar importancia, buscó explicaciones. En fin, si Godofredo no había visto nada más… si sólo estaban en la sala… Podía tratarse de un juego, una tontería…

Godofredo, febrilmente, rebuscaba en los bolsillos. El piano, dentro, producía ahora sonidos indecisos, como si los dedos tanteasen en busca de una melodía olvidada; de repente despuntó un fragmento de *Rigoleto* en un arranque triste y sollozante. Y Godofredo, que por fin había encontrado lo que buscaba, puso una carta de Ludovina ante los ojos de Carvalho. Y este la leyó a media voz:

—«Riquiño de mi alma, qué tarde la de ayer...»

Y como si aquellas palabras, leídas así por otra persona, le resultasen más infames todavía, Godofredo no se contuvo y elevó la voz gritando:

—¡No! ¡Esto, sólo con sangre! ¡Es necesario un duelo a muerte!

Carvalho, inquieto, le hizo señal de que se callase. Como el piano había parado un momento, permaneció a la escucha, temeroso de que hubiesen oído los gritos.

—Es Mariana —dijo, apuntando hacia la habitación—. Por ahora, es mejor que ella no sepa nada.

Y volvió a leer la carta lentamente. Palpaba el papel, le daba la vuelta y lo mantenía entre los dedos con una curiosidad excitada, como se sintiese allí el calor del «adulterio»... Godofredo seguía buscando por los bolsillos, disgustado por haber olvidado las otras cartas: ¡porque había otras aun peores! Y repitió frases, exhibió toda la estupidez, todo el descaro de su mujer, llevado del deseo de convencer completamente a Carvalho de que Ludovina era una prostituta.

—Además, ¡él no lo negó, dijo a todo que sí!

—Pero, ¡cómo! ¿Habéis hablado?

Tras un momento de vacilación, Godofredo completó la confidencia. Contó su idea del suicidio echado a suertes, el encuentro con Machado... Y Carvalho, que se había dejado caer encima del sofá, como roto, abrumado por todas esas revelaciones, abría mucho los ojos en su cara quemada por el sol de Cabo Verde, espantado de que aquellas cosas violentas y terribles hubiesen ocurrido realmente y se hubieran dicho allí, en su tranquila casa del Rossio.

Cuando Godofredo le contó que Machado encontró aquello insensato, Carvalho no se contuvo:

—¡De loco! ¡De puro loco! —exclamó, levantándose.

Y, gesticulando por el estrecho gabinete, buscaba un término, una frase para llamar a aquello; habló aun de «locura» y terminó diciendo que semejantes cosas sólo se veían en los folletines de *Rocambole*.

—Me vienes con lo mismo —dijo Godofredo—. Porque yo exijo que el duelo sea a pistola, pero sólo una cargada y echada a suertes...

Carvalho dio un salto:

—¿Una sola pistola al azar? ¡Pero eso es un asesinato! No, no cuentes conmigo! No hay motivo para eso... Y aunque lo hubiese, en una así no me metería yo.

Viéndose abandonado, Godofredo se indignó. Así pues, en medio de aquella terrible crisis, él, su mejor amigo, ¿le dejaba quedar tan mal? ¿De quién se habría de valer? ¿A quién confiaría su honor?

El otro desvarió. Habló otra vez de asesinato, de crimen, de prisión y terminó diciendo:

—Si me propusieras que incendiáramos el Banco de Portugal, ¿crees que debería aceptar?

Godofredo quería explicar que no era lo mismo; las dos voces se elevaban entremezcladas, hasta que el silencio del piano les hizo callar súbitamente. Se había desatado una discusión en la estancia contigua; las voces se elevaban también, había un altercado en el que las palabras «falda blanca», «cochina» y «la señora no me dijo nada» les llegaban en un tono irritado. Carvalho escuchó durante unos instantes. Después se encogió de hombros: debía de ser un nuevo descuido de la criada, una desvergonzada que tenían hacía un mes y que no daba una a derechas. Al oír un portazo dentro, no se contuvo y fue a ver.

Godofredo se quedó solo un momento, y sintió que le invadía un gran cansancio. Desde el día anterior sus nervios vibraban, tensos como las cuerdas de un violín bien afinado. Todo hasta allí le había parecido fácil, y su venganza, segura. Pero ahora, uno detrás de otro, recibía dos golpes seguidos. Machado no quería el suicidio al azar; éste no quería el duelo a muerte. Algo empezaba a ceder en su interior, como si su alma se estuviera cansando de mantenerse tantas horas en una actitud sombría de venganza y de muerte. Tenía un principio de jaqueca, la jaqueca que le amenazaba desde la víspera. Se sentó en el sofá, con la cabeza entre las manos, y suspiró profundamente.

Carvalho regresó, rojo y excitado. Había habido una escena y había echado a la criada. Y se exaltó: se quejó de aquella mala suerte que no le dejaba tener una criada decente… Una pandilla de sucias y desvergonzadas que encima le robaban. Añoraba a las negras: no había nadie como las criadas negras.

Godofredo le interrumpió:

—Entonces, dime, ¿qué piensas tú de todo esto? —preguntó con cara desanimada.

Carvalho se encogió de hombros:

Lo mejor es dejarlo todo como está: tu mujer en casa de su padre, tú en la tuya, y lo pasado, pasado está.

Pero le entraron remordimientos; quiso mostrar corazón, y añadió:

—En cualquier caso, cuenta conmigo para todo… Un duelo reglamentario, a espada e incluso a pistola, para salvar la honra, de acuerdo. Aquí estoy. Pero cosas trágicas, ¡no!

Dijo entonces Godofredo, cogiendo su sombrero:

—Vamos a casa de Teles Medeiros a ver qué dice él.

Carvalho se quedó contrariado. Iba a pasar el día a Pedrouços con su mujer, en casa de los suegros. Era el cumpleaños del cuñado… Pero, en fin, en un caso como ese era obligado hacer algo por los amigos.

—Vamos; déjame avisar a Mariana que no puedo ir…

Y cuando volvió al poco tiempo, poniéndose los guantes, traía un aspecto desagradable e irritado. Ya en la escalera, se detuvo, y girándose hacia Godofredo, que le seguía, dijo:

—Sabes que mi mujer está embarazada, ¿no? Un susto puede ser fatal, y si se entera de que soy padrino de un duelo… No es ningún juego… En fin, vamos allá. Los amigos están para estas ocasiones.

Abajo se montaron en un carruaje, porque Medeiros vivía allá en el infierno, delante de Estrela. Era un cupé casi nuevo, mullido y limpio, que rodaba sin ruido. Carvalho, de mejor humor, se recostó y terminó de abrocharse los guantes.

Durante un rato no dijeron palabra. Sólo cuando el cupé atravesó Loreto, una enorme curiosidad pareció invadir súbitamente a Carvalho. Godofredo había dado pocos detalles. ¿Qué había dicho Ludovina? ¿Cómo se enteró él? ¿Qué dijo Neto?

Godofredo, con aspecto fatigado, abatido, completó la historia en breves palabras.

El otro desaprobaba la mensualidad de treinta mil reales: era «una gratificación dada a la infamia». Y viendo que

Godofredo, abatido, se mordía emocionado los labios y tenía los ojos llenos de lágrimas, murmuró vagamente:

—¡Esta vida es un asco!

No dijeron ni una palabra más hasta casa de Medeiros.

Cuando tocaron la campanilla, el sirviente que les salió a abrir la puerta les dijo que el señor Medeiros estaba todavía en la cama.

Entonces Carvalho subió la escalera, entró en el cuarto de Medeiros, muy íntimo, armando barullo y llamándole holgazán y calavera. Detrás iba Godofredo, chocando con los muebles en la oscuridad del cuarto.

Desde la sombra del cortinaje, la voz malhumorada de Medeiros preguntaba qué invasión era esa, y cuando le abrieron las contraventanas, chilló, y se enterró bajo las sábanas sin poder soportar la brusca claridad del día. Finalmente mostró la cara adormilada, hinchada por el sueño; luego se estiró, se recostó de lado y echó mano de un cigarro que estaba sobre la mesilla de noche.

Carvalho se sentó a los pies de la cama y hablaron un rato de aquella gandulería de Medeiros; él explicó que se había acostado a las cinco de la mañana…

Entonces Carvalho comenzó:

—Hemos venido hasta aquí por un asunto muy serio…

Medeiros le interrumpió dando una voz al criado.

Quería saber si había llegado alguna carta por la mañana. El muchacho la llevaba en el bolsillo. Medeiros, sentado en la cama, con el pelo alborotado, la abrió nervioso, la recorrió de un vistazo y, dando un suspiro de alivio, la guardó bajo la almohada.

—Caramba, ayer estuve a punto de ser descubierto. Por un segundo… Si el marido entra en la cocina, que estaba justo al otro lado de la puerta, se va a paseo todo lo que Marta había tramado. ¡Demonios, no gana uno para sustos!

Carvalho y Godofredo se miraron, y Carvalho soltó una frase desafortunada:

—Pues precisamente por una cosa así es por lo que hemos venido.

Y añadió:

—Alves ha tenido un disgusto.

Y ante los ojos abiertos de Medeiros, Godofredo se sintió de repente ahogado por el sentido del ridículo. Se vio perteneciendo a esa tribu grotesca de los maridos traicionados que no pueden entrar en casa sin que, de cualquier esquina, escape algún amante. Y así sería por toda la ciudad, una infamia en cada esquina: amantes que huían y amantes descubiertos… Él había sorprendido a uno… A este otro le habrían descubierto si el marido hubiese entrado en la cocina; y tenía la impresión de ver por toda la ciudad a esta zarabanda de amantes y maridos, unos escabulléndose, otros intentando descubrirlos, ¡un *chassez-croisez* de hombres persiguiéndose alrededor de las faldas de las mujeres! Y de nuevo se sintió invadido por la fatiga y el horror de volver a contar su lamentable historia.

Pero los ojos de Medeiros, la cara de Medeiros, aguardaban, reclamaban, y él terminó diciendo, con una mirada extraña:

—Fue ayer. Encontré a Ludovina con Machado.

—¡Caramba! —exclamó Medeiros dando un salto en la cama.

Y apagando la colilla del cigarro y encendiendo vivamente otro, quiso conocer los detalles.

Fue Carvalho el que se los dio, hablador, gozando de su papel, detallando el caso, con la confianza del marido de un adefesio que nunca nadie querría tentar.

Lo contó todo, mientras Godofredo, hundido en una silla, con el sombrero todavía en la mano, iba asintiendo con la cabeza.

—Déjame ver la carta —acabó por decir Medeiros.

Y Godofredo de nuevo la sacó del bolsillo, y por segunda vez oyó a una voz ajena murmurar aquellas palabras de su mujer: «Riquiño de mi alma, qué tarde la de ayer…».

Medeiros, en pijama, repetía la frase, acordándose de los ojos negros de Ludovina, de su cuerpo de reina, encendido, palpando el papel y dándole vueltas, como hiciera el otro. Y súbitamente le entró una furia terrible contra Machado. ¡Qué diablos, ya era ser un canalla! En fin, ella tenía la culpa por esas cartas. ¡Diablos, cuando ellas quieren, no se puede ser un José de Egipto! Aunque jamás con la mujer de un amigo, y además, socio.

—Esto pide sangre —dijo él excitado, saltando al medio de la habitación en pijama y chinelas.

Godofredo exclamó, recobrando su coraje:

—Yo quería un duelo a muerte, pero este dice que no.

Entonces Carvalho apeló a su amigo Medeiros. ¿Era acaso razonable la idea de una sola pistola cargada escogida al azar?

Medeiros le miró, después a Godofredo, espantado. No. ¡Claro que no! Ni había motivo para ello ni…

Era la segunda vez que Godofredo oía aquello de que no había motivo, y entonces protestó airadamente:

—¡No hay motivo! ¡No hay motivo! Entonces, ¿qué motivo hace falta para que dos hombres se maten?

—Un escupitajo en la cara, o algo así —dijo Medeiros con autoridad.

Y todavía en pijama, aprisa, se peinaba.

Godofredo quería argumentar, pero el otro, volviéndose con el peine en la mano, puso fin a la cuestión:

—Aunque hubiese motivo, yo, algo así, no lo acepto. En una de esas no me meto.

—¡Ahí tienes! —exclamó Carvalho triunfante—. ¿Qué te decía yo? Nadie quiere una responsabilidad de ese tipo. Además, yo, con la mujer embarazada... ¡Vaya panorama!

Alves se quedó abatido. Sin embargo, en el fondo de su corazón sentía un principio de alivio, como si parte de aquella indecisión en la que se encontraba desde el día anterior desapareciese y algo se aclarase. Ahora estaba decidido que no habría suertes ni azares, que no moriría nadie, y que en todo aquel desconcierto con que había vivido hasta entonces, esto constituía un punto sólido, una base, una decisión en la que podía apoyarse. Y no era él quien lo decidía así, sino sus mejores amigos, que pensaban con frialdad.

Pero en cualquier caso, quitando lo de la muerte de uno de ellos, algo había que hacer.

—¿Qué me aconsejáis? ¿Qué he de hacer? No me puedo quedar así, con los brazos cruzados...

Medeiros, de pie en medio de la habitación, en pijama, con las pantorrillas al aire, los pies embutidos en unas chinelas grandes, exclamó con solemnidad:

—¿Quieres poner tu honor en mis manos?

Claro estaba que quería; no había ido a otra cosa...

—Bien —exclamó Medeiros—. En ese caso no tienes nada más en que pensar. Déjate llevar, nosotros lo arreglaremos todo.

Se fue para dentro, al cuarto de aseo, donde le oyeron lavarse los dientes, enjuagarse la boca, formar una tempestad dentro de la palangana.

Godofredo, sin embargo, no parecía satisfecho; se acercó a la puerta del aseo, quiso saber si...

—No tienes que saber nada —exclamó Medeiros desde dentro, lavándose y chapoteando con la esponja y el agua—. Tampoco nosotros sabemos... Tenemos que ir primero a ver qué dice Machado, entendernos con sus testigos, etcétera. Tú vete a casa y no salgas hasta que nosotros aparezcamos. Y déjanos ahí el coche para poder hacer todo eso. ¡Domingo, cepilla la levita negra!; y pantalones negros. ¡Todo negro!

Oyendo esto, Carvalho echó una ojeada a su propio traje de cheviot claro. Él no era de los que se paraba en esas afectaciones del atuendo: con una camisa limpia, un hombre está decente para ir a cualquier parte.

Godofredo, sin embargo, paseaba pensativo por el cuarto, y acabó diciéndole a Carvalho lo que le perturbaba:

—Es preciso que lleveis las condiciones establecidas. Y yo, si no es a pistola y a veinte pasos...

—Deja eso a Medeiros —le interrumpió Carvalho.

Y Medeiros, apareciendo en ese momento con la toalla en la mano y el pelo mojado, añadió:

—Mira, tú entenderás mucho de asuntos de negocios, pero de cuestiones de honor, entiendo yo. Tú, desde este instante, no tienes sino que esperar lo que vayamos a decirte: será a tal hora, en tal sitio y con tales armas. Y después, al día siguiente, te vas. No tienes ni que preocuparte del médico. Se lo pediré a Gomes, que entiende mucho de heridas y que no es una persona que pierda la cabeza si uno de vosotros acaba dañado…

Godofredo sintió un escalofrío y que se le encogía el corazón. Carvalho, a su lado, le decía:

—Tú vete a casa, por si tienes que poner en orden los papeles o cualquier otra cosa.

No hablaba de testamento, pero la alusión era tan clara que aquello irritó al bueno de Alves.

Desde luego, él era el primero en querer que el duelo fuese en serio, a muerte incluso, pero, la verdad, sus dos mejores amigos, sus íntimos, uno hablando ya de heridas y el otro empujándolo hacia la puerta para que se fuera a hacer el testamento, le parecían groseros e innecesariamente crueles.

Sin decir una palabra, salió.

Y precipitándose al fondo del cupé, molida el alma y molido el cuerpo, discurrió algo tan profundo como:

—¡Para esto se casa la gente! ¡Para esto quiere uno tener familia!

VII

A LAS SEIS DE LA TARDE, Godofredo, en zapatillas, acababa de sellar unos papeles cuando tintineó la campanilla y aparecieron sus dos amigos.

Carvalho, pese a su indiferencia por la etiqueta, se había cambiado de traje; iba con levita negra, y ambos traían un aspecto grave. Medeiros, muy correcto, con el bigote engomado, se sentó en el sofá y comenzó a quitarse lentamente los guantes negros, mirando a Godofredo. Después habló:

—Revientas de curiosidad, ¿no? Pues escucha: por ahora no hay nada hecho.

Godofredo, que se había quedado con los ojos clavados en él y estaba muy pálido, pareció respirar mejor. Pero de repente se enfureció: ¿cómo que nada hecho? ¿Es que el infame le negaba una satisfacción?

Carvalho intercedió:

—¡No, hombre! A cada cual lo suyo; y con Machado no hay problema.

—¿Entonces?

—Los testigos se mostraron recalcitrantes —dijo Medeiros—. Mira lo que pasó.

Era una larga historia, que Medeiros contó prolijamente, regodeándose en los detalles. Habían hablado con Machado, el cual les prometió que dos amigos suyos estarían a las cuatro en casa de Medeiros. Y puntualmente aparecieron allí Nunes Vidal, a quien Godofredo conocía perfectamente, chico experto en asuntos de honor, y Cunha, Albertino Cunha, el cual habló poco y estaba de comparsa. Pasaron, saludos, etc., todo muy solemne y lleno de amabilidad. Después trataron la cuestión. Nunes Vidal declaró que, en principio, el señor Machado estaba dispuesto a aceptar todas las condiciones, todas, cualesquiera que fuesen, propuestas por el señor Alves; absolutamente todas. Pero que él, Nunes Vidal, y su amigo Cunha entendían que el deber de los testigos, en un conflicto, era, antes de nada, procurar la paz y la reconciliación. Y, por tanto, si en principio su representado, el señor Machado, por un exceso de pundonor y de orgullo, estaba dispuesto a dejarse matar, sus testigos, que velaban por sus intereses, estaban allí, habían ido hasta allí, no sólo para procurar evitar en lo posible que sucediese una desgracia sobre el terreno a su amigo, sino que en torno a su nombre no se formara un escándalo que lo perjudicase.

—Todo esto muy bien dicho —añadió Medeiros—, todo muy bien explicado, con bonitas palabras… Realmente, me gustó Vidal.

—¡Ah, un chico con mucho talento! —murmuró Carvalho.

Finalmente, Vidal acabó diciendo que, bien considerado todo, no juzgaba que hubiera motivo para un duelo fatal, a pistola.

¡Otra vez la falta de motivo! Godofredo despotricó:

—¡Mil diablos! ¿Y cuánto más quería ese burro que me hubiese hecho Machado?

Con un gesto, Medeiros le contuvo:

—No te exaltes, hombre, no te exaltes... Tranquilo, que se lo dije todo. Vidal es muy experto, pero yo no me callé. Pregúntale a Carvalho...

—Estuviste magnífico —dijo Carvalho.

—Pero entonces, ¿qué diablos dijo Vidal? —exclamó de nuevo Godofredo.

Vidal había dicho que no había motivo de sangre, porque lo ocurrido entre Machado y la señora había sido un simple amorío...

Godofredo hizo un ademán airado.

Y Medeiros, levantándose a su vez:

—No te exaltes, hombre, escucha. Se lo conté todo. Les conté cómo los sorprendiste y lo de las cartas, «Riquiño de mi alma, qué tarde la de ayer» y lo demás. Les presenté todos los datos para convencerlos de que el adulterio era completo. ¿No es verdad, Carvalho?

—Todos.

—Se lo dije claramente: mi representado, nuestro amigo Alves, es en toda la extensión de la palabra un marido que... En fin, necesita una reparación. ¿No es verdad, Carvalho?

Carvalho hizo un gesto de asentimiento.

—Pero Vidal me probó que no —continuó Medeiros—. Él también leyó las cartas: Machado le había contado todo lo sucedido; y después de meditar y de pensarlo bien, habían llegado a esta conclusión: no había sido más que un amorío.

Se hizo un silencio en la estancia.

Godofredo paseaba vivamente con las manos en los bolsillos. Carvalho examinaba distraídamente un cuadro que representaba a *Leda y el cisne*. De repente, Godofredo se paró y exclamó con voz sorda y espaciando las palabras:

—Ahí, en ese sofá, los vi yo abrazados el uno al otro. ¿Qué dice a esto Vidal?

—Esa es la única cuestión —convino Medeiros—. Eso no se puede negar, porque tú los viste con tus propios ojos. Pero Machado se lo explicó a Vidal, y Vidal nos lo explicó a nosotros. Se trataba de un juego, en broma, para hacerse cosquillas.

—¿Y la carta, «¡Qué tarde la de ayer!»? —exclamó Godofredo.

—Dijo Vidal que naturalmente se refiere a un paseo que disteis los tres por Belém... ¿Fuisteis a Belém?

Godofredo reflexionó un momento. Sí, habían ido a Belém... Era cierto que habían ido los tres a Belém.

—Pues ahí lo tienes. Era por recordar el placer de haber ido los tres de merienda, de excursión...

—¡De modo que todo se queda en esto: en nada! —exclamó Godofredo—. ¡Me tengo que tragar la afrenta!

Medeiros saltó indignado. ¡Ahora con esas! Pero ¿por quién le tomaba? ¿Tenía puesto o no Alves el honor en sus manos y en las de Carvalho? Sí. Entonces no podía suponer que ellos, sus amigos, le dejaban tirado en el fango miserablemente.

—Pero... —murmuró Alves.

—¿Pero qué? Está claro que te batirás. Fue lo que se decidió. No hay razón para que sea a pistola, porque se trató de un simple amorío. Pero como el señor Machado no tiene derecho de cortejar a tu mujer, sí hay motivos de sobra para que sea a espada, un duelo más sencillo... Nos reuniremos con ellos luego en mi casa, a las ocho, para concretar todo.

—No tenemos tiempo que perder —dijo Carvalho mirando el reloj—, porque son las seis y media y todavía tenemos que comer algo. Yo estoy que me caigo.

Godofredo les invitó a que cenasen con él. Además, había calculado que aparecerían a la hora de la cena, así que había mandado preparar asado de sobra.

—Sólo habrá un trozo de asado —dijo él—, pero en campaña cualquier cosa vale. ¡Y nosotros estamos en guerra!

Era la primera vez que sonreía desde la víspera. La compañía de sus amigos en la cena, le alegraba, y le evitaba la soledad que tanto temía.

Y la cena fue casi alegre. Habían acordado no hablar del duelo ni del asunto; pero ya desde el arroz, y siempre que Margarita no estaba presente, retomaron la idea predominante con frases cortas y alusiones vagas. Finalmente, Godofredo le dijo a la muchacha que no volviese sin oír antes la campanilla, y la conversación ya no se interrumpió más. Godofredo contó cómo conoció a Ludovina, y su noviazgo, y el día de la boda. Después habló de Machado, pero ya sin cólera, e incluso llegó a decir que era «un muchacho brioso». Él mismo iba a buscarlo al colegio cuando Machado era pequeño, y a veces le llevaba al teatro. Y estos recuerdos le enternecían. Tuvo que tragar saliva, y pidió que no se hablase más de aquello. Tocó la campanilla y Margarita trajo el asado.

Hubo un breve silencio. Medeiros elogió el vino de Colares. Y Carvalho, en relación con el Colares que él solía beber en Cabo Verde, recordó un caso de duelo, allá, en el que él fue testigo. Y lo contó en cuanto salió la criada: era un caso parecido al de Alves, también a causa de una mujer; ¡pero aquella era negra!

A Medeiros esto le parecía increíble; pero Carvalho, con los ojos brillantes, alabó a las mujeres negras:

—Una vez te acostumbras, no quieres otra cosa... ¡La negra es una gran mujer!

—¡Pero qué demonios, no hablemos más de mujeres! —dijo Godofredo.

Y en esa petición, que acompañó de una leve sonrisa, había como una resignación ante su desgracia, un deseo naciente de gozar aun de la vida, en compañía de los amigos y la dedicación al trabajo, sin los disgustos ni las preocupaciones que conlleva invariablemente la pasión por las faldas.

Así que hablaron de Nunes Vidal.

Medeiros estaba contento de haberse encontrado, en un caso tan serio como aquel, con Nunes Vidal, un chico austero, con experiencia y de honor. Al principio temió que Machado tuviese la idea de nombrar padrino suyo al idiota de Segismundo, con quien andaba siempre. Y esto trajo de nuevo a Machado a la conversación. Y animado por el Colares, Medeiros confesó que ya le había «clavado una» a Machado: ¡fue amante de una francesa con la que él estaba!

Y empezó a hablar de sus propias conquistas; retomó la historia del día anterior, cuando por poco no le descubren en la cocina.

Carvalho también tuvo una historia igual en Tomar. Se vio forzado a saltar por la ventana, y cayó encima de un basurero. Pero Medeiros sabía de un caso mucho peor que ése: un amigo suyo, Pinheiro, no el delgado, sino el otro, el picado de viruelas, había estado escondido en una pocilga durante seis horas. ¡Casi se muere! Y ahora, cuando veía un cerdo, se ponía blanco como la cal.

Y hubo entre Carvalho y Medeiros un desfile de historias de adulterios. Sólo Godofredo, hombre casado y honesto, no tenía de esos recuerdos. Su vida era muy casera, sin aventuras, y escuchaba bebiendo a sorbos su café, gozando con aquella alegre sobremesa y sonriendo de vez en cuando.

Se sintió invadido por un cálido soplo de juventud, y dijo:

—Hombre, es mejor que la gente se divierta por su cuenta a que los demás se diviertan a la nuestra…

Pero se acercaban las ocho y Carvalho comenzó a ponerse los guantes negros. Godofredo habló de acompañarlos; en casa de Medeiros, se metería en un cuarto contiguo mientras se celebrase la reunión: así ellos se ahorrarían el trabajo de tener que volver a la Rua de S. Bento a dar parte del resultado.

A pesar de que Medeiros consideraba que eso iba contra las reglas, finalmente consintieron «por no tratarse de un caso muy grave». Fueron a buscar un carruaje y, apiñados los tres dentro de él, se dirigieron a Estrela.

En casa de Medeiros, el criado ya había encendido las velas de la araña, y subían por la escalera cuando llamaron a la campanilla. Eran los testigos, muy puntuales. Y mientras Godofredo se escondía, los otros entraban en la estancia contigua, donde enseguida se formó un rumor de voces.

En el cuarto, a oscuras, sin atreverse a llamar al criado, Godofredo buscaba a tientas, sobre la mesa, sobre la cómoda, una caja de cerillas. No encontró cerillas, pero sus dedos dieron con una cortina. La corrió, y vio una rendija de luz en una puerta, detrás de la cual provenían los rumores de las voces. Al otro lado estaba la sala donde conferenciaban. Dio un paso, pero tropezó con una jarra y se derramó el agua. Permaneció inmóvil un momento, y por fin, chapoteando en el agua, pegó el oído a la cerradura.

Pero se había hecho en la sala un silencio que no comprendía. Sólo a veces uno de los amigos de Machado tosía. ¿Qué demonios estarían haciendo? Quiso espiar, pero sólo vio, vagamente, un trozo de espejo, donde se reflejaba la luz de la lámpara. De repente desapareció la luz, algo negro se puso delante de él, seguramente la espalda de alguien. Se alzó una voz; era la voz de Medeiros, y decía que «le parecía ser concluyente…». A continuación otras voces, hablando todas al mismo tiempo, formando un rumor que él no podía distinguir. Después otra voz dijo más perceptiblemente:

—En estos casos es necesaria, sobre todo, la dignidad.

En efecto, era necesaria la dignidad; y, realmente, no era muy digno estar allí escuchando tras las puertas. A tientas volvió al centro del cuarto, y tras tropezar con el sofá, se sentó pesadamente. De la estancia no llegaba el menor ruido; el aire cargado viciaba el cuarto. Y aquel silencio, aquella oscuridad, le trajeron pensamientos sombríos sobre heridas y enfermedades. Tal vez él estuviese así al día siguiente, a oscuras en una habitación, postrado en la cama y solo, sin nadie, atendido únicamente por Margarita.

Esta idea le causó gran horror. Recordó casos de heridas de los que había oído hablar. Un espadazo, en el momento, sólo daba una sensación de frío; los dolores venían después, durante las largas noches de inmovilidad, cuando los colchones se calientan y el cuerpo no se puede mover. Y entonces pensó en todo lo que había dicho Nunes Vidal: «Era la primera vez que Machado la abrazaba, por jugar»... ¿Y si fuese cierto? También lo había dicho ella con un grito de aflicción: «¡Era la primera vez!». Bien podía haber sido solamente una ligereza, un galanteo, lo que los ingleses llaman *flirtation*. ¿Debería perdonar? No, desde luego. Pero entonces no había motivo para batirse. Bastaba con expulsar a Machado de su casa... Y más cosas le acudían a la mente: nunca como en los últimos tiempos había estado Ludovina tan amorosa. En otro tiempo era él el que la provocaba, le hacía caricias... Pero ahora era ella la que a veces, sin motivo, le echaba los brazos al cuello. ¿Podía afirmar que ella no le amaba? No, aquello no era fingido: él no era ningún memo y sabía reconocer bien una emoción sincera. ¿Por qué consentiría ella entonces el cortejo de Machado? ¿Quién lo sabría? Coquetería, vanidad... En cualquier caso, el castigo era merecido. No la vería nunca más, ¡y se batiría con el otro!

En ese momento cayó en que nunca había manejado una espada y que Machado había recibido lecciones de esgrima. ¡Seguro que el herido sería él! Y el mismo terror le invadió de nuevo. Pensaba que no temería tanto una muerte brusca, una bala en el corazón... Pero una herida grave, que le mantuviera en cama semanas interminables, con su lenta recuperación, y la fiebre, la inflamación, el peligro de gangrena... Era horrible. Todo su cuerpo se encogía ante esa idea. Pero se acabó... ¡Se lo exigía el honor!

De repente oyó voces en el pasillo, risas, todo el barullo cordial de amigos que se despiden. El corazón le latía con fuerza; iba camino de la puerta cuando apareció una luz. Era Medeiros, todavía con la vela con que había alumbrado a los demás.

—Todo resuelto —dijo al entrar.

Detrás de él iba Carvalho, que lo confirmó:

—Está todo decidido.

Godofredo los miraba, pálido, temblando de nervios.

—No te bates —dijo Medeiros poniendo la palmatoria sobre la mesa.

—¿Qué te dije yo? —exclamó Carvalho radiante—. Todo tenía que quedarse tal cual. Era de sentido común.

Y Medeiros explicó lo que había pasado. Nunes Vidal se había comportado con una caballerosidad extraordinaria. Empezó diciendo que si estuviera convencido de que allí había una traición de Machado, un delito de adulterio con la mujer del socio, él no se inmiscuiría en el caso. Después afirmó que, si exigíamos el duelo, ellos tenían órdenes de aceptar todo, sin discutir: la hora, el sitio y las estocadas. Y llegados al lugar, Machado cogería la espada y se dejaría herir como un *gentleman*. Pero Nunes Vidal apeló a ellos, como hombres de honor y de buen juicio…

—¿No fue eso lo que dijo, Carvalho?

—Y hombres de mundo —enmendó Carvalho.

—Justamente: y hombres de mundo. Apeló a nosotros preguntándonos si debíamos consentir un duelo, cuando no había motivo y cuando Machado, en una carta que Vidal nos dio a leer, declaraba, bajo su honor sagrado de hombre, que doña Ludovina era inocente, completamente inocente, y que no hubo más que unas cartas tontas intercambiadas y aquel abrazo. Además, ¿qué se conseguiría con un duelo? Comprometería a doña Ludovina, daría a entender a la gente que hubo realmente adulterio, dejaría al señor Alves en una posición un tanto ridícula y perjudicaría a la firma comercial…

—Y el dilema de Nunes… —le recordó Carvalho.

—¡Es verdad! ¡El dilema! —exclamó Medeiros al acordarse—. Nunes presentó este dilema: supongamos que pedimos un duelo a espada. Ahora bien, si hubo adulterio, la espada es poco; pero si no lo hubo, es demasiado… De manera que resolvimos que no hubiese ningún duelo.

Godofredo no decía nada. Una sensación de paz y de serenidad le invadía silenciosamente. Los elevados argumentos de Nunes Vidal, un muchacho tan honorable, casi le convencían de que realmente no hubo sino un galanteo sin consecuencias. Él mismo lo había dicho: si estuviera convencido de que había adulterio, no se inmiscuiría en el caso. Ahora, se trataba de un simple galanteo, no había realmente motivo para batirse; y esto le procuraba cierto alivio… Mil ideas abominables desaparecían, y surgían otras, pero de reposo, de tranquilidad, incluso tal vez de felicidad. Sin duda, no perdonaría a su mujer aquel simple galanteo; y no volvería a dirigirle la palabra a Machado. Pero la vida sería menos amarga pensando que ellos, realmente, no le habían traicionado.

Aquello aliviaba su orgullo; aunque él se mostraría como un marido rígido y digno expulsando a su mujer por un simple coqueteo. Así su honor quedaba a salvo y su corazón sufría menos.

Y le invadió la alegría de abandonar por fin aquellos violentos pensamientos de muerte en los que andaba envuelto y retornar a la rutina de su vida, sus negocios, sus relaciones y sus libros. De repente, con la idea de la rutina, de los negocios, de la casa comercial, le vino un pensamiento que lo llenó de turbación.

—¿Y Machado? ¡Yo no puedo hablarle nunca más!

Pero Medeiros había discutido ese punto con Nunes Vidal. Y fue Vidal quien tuvo una idea de sentido común. Dijo que desde el instante en que no había motivo para el duelo, tampoco lo había para que se interrumpieran las relaciones comerciales…

Godofredo protestó:

—Entonces ¿me lo he de encontrar mañana en el despacho?

—¡Quién dice mañana, hombre! Nunes Vidal propuso lo siguiente: Machado te escribe mañana una carta oficial, para que el contable y los empleados la vean, diciendo que sale de Lisboa con su madre y en la que te pide mires por la empresa, etc., etc. Después, al cabo de uno o dos meses, regresa, vosotros os saludáis, os sentáis cada uno en vuestra mesa, habláis de lo que tengáis que hablar sobre el negocio y se acabó. Lo que no habrá son relaciones íntimas; e incluso excusaréis tutearos.

Como Godofredo miraba al suelo, reflexionando, los dos a un tiempo cayeron sobre él:

—Así tapas la boca a la gente —dijo Carvalho.

—Evitas hacer el ridículo —añadió Medeiros.

—Mantienes la firma intacta y unida…

—Libras a tu mujer de la mala fama…

—Conservas un socio inteligente y trabajador…

—¡Y quizá un amigo!

Entonces una inmensa fatiga invadió a Godofredo. Le entró un intenso deseo de no pensar más en aquel disgusto, de no hablar más del caso y de dormir tranquilo; así que cedió, se entregó, y preguntó con voz temblorosa:

—¿Vosotros creéis, por vuestro honor, que así queda todo solucionado?

—¡Lo creemos! —contestaron ambos.

Godofredo dio un apretón de manos a uno y después al otro, conmovido, casi con lágrimas en los ojos:

—Gracias, Carvalho. Gracias, Medeiros.

Y para acallar las bocas, se fueron los tres al Passeio Público, donde esa noche había luminarias y fuegos artificiales.

VIII

COMENZÓ ENTONCES para Godofredo, una existencia abominable.

Habían pasado algunas semanas y Machado había vuelto. Ocupaba ahora, como de costumbre, su mesa en el despacho de seda verde.

Godofredo había temido siempre tal acontecimiento. Le resultaba impensable que ellos pudieran pasar horas uno al lado del otro, consultando sus papeles, ligados por mil intereses comunes, con la imagen aun viva de aquel día de julio, de aquel trágico encuentro sobre el sofá.

Al final todo había transcurrido muy convenientemente y no había fricciones.

La víspera de su llegada, Machado le escribió una carta con mucha educación, casi humilde, en que se percibía cierto tono de tristeza: le decía que iba a volver, que al día siguiente aparecería por el despacho, que esperaba que todo recuerdo del pasado desapareciera en sus nuevas relaciones y que estas estuviesen siempre dominadas por una respetuosa cortesía. Añadía que, comprendiendo sin embargo las dificultades de esta solución, él sólo la aceptaba por poco tiempo, para salvaguardar la dignidad y acallar la maledicencia, reservándose el derecho de dejar la firma en cuanto pudiese hacerlo sin levantar ningún escándalo.

Ese día Godofredo fue muy temprano al despacho e hizo algo muy hábil: le dijo al contable, delante del cajero, que entre él y el señor Machado había habido ciertas diferencias y que sus relaciones habían sufrido algunos cambios. Estas vagas palabras perseguían evitar la sorpresa y los comentarios del contable cuando los viese ahora, uno en frente del otro, secos, corteses y tratándose de «señor Alves» y «señor Machado».

El contable murmuró que «lo sentía mucho» y un instante después apareció Machado. Fue un momento desagradable. Durante el resto del día, mal pudieron poner atención en lo que hacían, y los propios gestos de Machado, al sacar el pañuelo o dar unos pasos, despertaban en Godofredo toda suerte de recuerdos irritantes. Una o dos veces le sobrevino un deseo violento de vituperarlo, de acusarlo de cuantas tristezas llenaban ahora su vida. Pero se contuvo, y sólo fue capaz de ahogar algún que otro suspiro.

La actitud de Machado fue triste y respetuosa. Casi no cruzaron palabra. Algo angustioso flotaba en el ambiente, y el estúpido cajero hacía más evidente la situación embarazosa obstinándose en andar de puntillas, como en una casa donde hubiera un moribundo.

Siguieron otros días iguales; pero poco a poco la presencia de Machado fue dejando de impresionar a Godofredo. Ya podía mirarlo sin pensar en el sofá amarillo…

Se estableció de nuevo la rutina: el último en entrar daba los buenos días al otro educadamente; luego, cada uno en su mesa, sólo hablaban de asuntos de negocios con las palabras indispensables. Cuando no había nada que hacer, Machado salía, para dejar el despacho a Godofredo, que se quedaba leyendo los periódicos en el sofá. Y esta existencia continuó, regular, sin sobresaltos, porque en el fondo en Machado sólo había estima por Alves, y Alves, a su pesar, conservaba un fondo de simpatía por aquel muchacho que prácticamente él había educado. En vano se decía a sí mismo que fuera de la oficina era un bellaco; el simple tono de su voz, sus modales refinados, le atraían irresistiblemente.

Por eso, cuando llegaron los primeros días de octubre, toda aquella tumultuosa agitación que se había formado en la vida de Godofredo y que lo tuvo durante semanas como un sonámbulo, se calmó. Ludovina estaba en Ericeira, con su padre, y el recuerdo de aquel momento en que la vio en el sofá amarillo —ese recuerdo que había sido en el corazón del pobre Godofredo como una llaga que al menor movimiento, al menor roce, se irritaba— era ahora como una herida que empezaba a cicatrizar, causando tan sólo uno de esos dolores sordos e intermitentes a los que el cuerpo se habitúa.

El choque desagradable del encuentro con Machado también había pasado. En el despacho de la Rua dos Douradores continuaba la rutina de unas relaciones frías, corteses y tolerables.

Pero ahora, más calmado, Godofredo sentía con redoblada intensidad los detalles de aquella vida de viudo que debía ser la suya para siempre, y sólo atisbaba en el futuro tristeza y desconsuelo.

Al principio había pensado en dejar la casa de la Rua de S. Bento e irse a vivir a un hotel. Pero después le dieron miedo las habladurías, la maledicencia. Nadie sabía que estaba separado de su mujer. Se suponía que ella había ido a la playa con su padre y que Godofredo iba a verla de vez en cuando, y tenía que mantener esa ficción por todos los medios. Además, ¿qué haría con las dos criadas? Porque persistía en la idea de guardar silencio en torno a su desgracia conservando bajo llave, ligadas a él por el interés de una buena situación, a aquellas dos criaturas que la conocían. Se quedó en S. Bento, y su vida allí fue completamente desgraciada. Una por una, habían desaparecido las comodidades que tanto apreciaba, porque las dos mujeres, sin nadie que las vigilase, habían percibido que el señor no las despediría por temor a que se fueran de la lengua, y estaban plenamente relajadas.

El tormento del día comenzaba para Godofredo a las nueve. Era una tortura conseguir que le trajeran agua para afeitarse: nunca había agua caliente. La cocinera, que ahora se levantaba tarde, nunca tenía encendido el fuego antes de las diez. Después era otra lucha para que le sirvieran el desayuno, y cuando llegaba, hecho deprisa, sin cuidado, sin variedad, casi le repugnaba. Desde agosto, todas las mañanas le aparecían los mismos huevos pasados por agua —unas veces crudos, otras demasiado hechos— y los mismos filetes pétreos, negros, como dos tiras de cuero tiznado.

Se sentaba, miraba con horror la servilleta sucia y sentía un desánimo profundo. ¡Ay! ¿Dónde habían quedado los tiempos en que la propia Ludovina le hacía los huevos mirando el relojito de oro? Entonces había siempre flores en la mesa, con su *Diário de Notícias* y su *Jornal do Comércio* esperándole junto al plato. Él los desdoblaba con una sensación de paz y bienestar, percibiendo el rumor de su falda alrededor, el calor de su presencia y un ligero aroma a vinagre de tocador[2].

Ahora, cuando él regresaba a las cuatro, encontraba las sobras de su triste desayuno aun sobre la mesa, con la salsa de los filetes seca en el plato, restos de té en el fondo de la taza, todo sucio y triste bajo el vuelo de las moscas. Siempre había migas por el suelo. Todos los días se rompía alguna cosa. Y a final de mes había cuentas enormes; era un despilfarro, un exceso absurdo de gastos.

En dos ocasiones se había encontrado con hombres en la escalera o con visitas de las criadas. Su ropa sucia se amontonaba por las esquinas, y cuando él se enfurecía y entraba de improviso gritando en la cocina, las dos muchachas no le contestaban, fingían un arrepentimiento más odioso si cabe que una respuesta insolente: bajaban la cabeza, daban respetuosamente una disculpa absurda y después se quedaban allí dentro riéndose y beborroteando de su vino.

Aunque aun peores eran las largas noches solitarias. Siempre había sido un hombre casero, le gustaba recogerse temprano, ponerse las chinelas y gozar de su intimidad.

En otros tiempos, en el salón, Ludovina se sentaba al piano; él mismo encendía las luces, con la devoción de quien prepara un altar, porque adoraba la música, y se terminaba su cigarro en un sillón oyéndola tocar, contemplando su melena negra, que le caía por la espalda con una gracia llena de abandono e intimidad. Ciertas piezas que ella tocaba le daban la sensación de tener el corazón acariciado por algo sedoso y dul-

---

[2] En el original «vinagre de *toilette*». Es una mezcla de vinagre o ácido acético con alcohol perfumado, que aun hoy día se emplea en el aseo personal. *(N. del T.)*

ce que le hacía desfallecer; sobre todo una, cierto vals, «Souvenir d'Andalousie»… ¡Ah, cuánto tiempo sin oírla tocar!

Mientras duró el verano, todas las tardes dio su paseo. Pero el espectáculo de las calles le traía a la memoria su felicidad perdida. Un balcón abierto, con una señora vestida de claro tomando el fresco, le recordaba a su casa desierta, donde ya no había rumor de faldas… Una ventana, al anochecer, dejando salir la claridad discreta de una velada tranquila, de donde salía un suave sonido de piano… Y él pasaba, con los botines cubiertos de polvo y el cuerpo fatigado, sintiendo de un modo agudo y doloroso la evidencia de su soledad.

Las peores noches eran aquellas en que buscaba la animación del Passeio Público. Le llevaba hasta allí el horror de la soledad; pero aquel aislamiento en medio de tanta gente, bajo los árboles iluminados por los faroles de gas, viendo a tantos hombres con una mujer al brazo, le era aun más doloroso que el salón desierto y frío, con su apariencia de inhabitado y su piano inútil.

Después, cuando principió el invierno, la vida empezó a ser intolerable. Noviembre fue muy lluvioso. Volvía tarde del despacho, y después de la desconsoladora cena, que engullía deprisa, permanecía aburrido, errando en zapatillas del salón a su cuarto. Ningún asiento, por más confortable que fuera, le daba una sensación completa de reposo y bienestar. Sus libros parecían haber perdido súbitamente todo el interés, desde que no la sentía a su lado cosiendo mientras él leía, en la misma mesa, bajo la misma luz. Y el pudor, los escrúpulos, cierta vergüenza, le impedían ir a los teatros.

Además, ahora le entraba constantemente una inquietud, desde que ella había regresado de Ericeira y que la sabía allí, en la misma calle, a diez minutos de aquella casa donde él sufría las melancolías de la viudez. Cada noche su imaginación recorría veinte veces ese camino, subía la escalera de Neto, penetraba en la sala que tan bien conocía, con su *chaise-longue* cubierta de cretona roja. En esa *chaise-longue* ella acostumbraba a sentarse cuando iban a ver al suegro. Y le asaltaban la envidia y la desesperación cuando pensaba que a esa hora ella estaría sentada allí, con la costura o con un libro en las manos, tranquila, olvidada, sin pensar en él.

Neto, de vuelta de Ericeira, había ido a verle. Y cada palabra de aquel tunante había sido una puñalada para Godofredo. Se lo habían pasado muy bien en Ericeira. No vieron a nadie, porque, en fin, las circunstancias de Ludovina no permitían ni fiestas ni excursiones, pero se lo habían pasado muy bien en familia. Ludovina se había bañado; estaba fuerte, más robusta, y él nunca la había visto con tan buena cara; se había aplicado mucho en su piano, y parecía resignada y de buen humor. Y después de pintarla así, tan saludable, tan apetecible, se había marchado, sin pronunciar las palabras que Godofredo ansiaba, unas simples palabras: «hacer las paces». Porque ahora ése era su deseo más ardiente. Únicamente, no quería dar el primer paso, por orgullo, por dignidad, por un resto de celos y de enfado. A su entender, competía a Neto imponer esa reconciliación, y empezaba a odiarlo viendo que quería conservar a la hija en casa. Era fácil de comprender: al tunante no le disgustaban los treinta mil reales que le caían en el bolsillo todos los meses. Llegó a pensar en retirar la mensualidad, pero su sentido de la caballerosidad se lo impidió.

Lo que le torturaba por encima de todo era no haber conseguido aun verla. En vano pasaba y volvía a pasar por casa de Neto; en vano iba los domingos a misa a la iglesia de ella; en vano rondaba la casa de la modista, una tal doña Justina, en el Largo do Carmo, con la esperanza de verla salir o verla entrar. Hasta que un día, al salir de un estanco encendiendo un cigarro, de repente la vio de espaldas...

Se quedó tan turbado, tan parado, que en lugar de correr tras ella para verla, como reclamaba furiosamente su deseo, se refugió rápidamente en la tienda, y se quedó allí, perplejo, sintiendo cómo su corazón latía con fuerza, pálido y embotado. Y cuando pudo reaccionar y salir para verla una vez más, inútilmente subió y bajó por el Chiado, no la encontró: la había perdido. Se fue a casa con una nostalgia enorme, llevándose en los ojos aquella figura alta, vestida de negro y con una flor amarilla en el sombrero.

Sin embargo, aunque el encanto ya se había roto, una semana después, cuando bajaba por la Calçada do Correio, la divisó de nuevo subiendo con su hermana. Le entró la misma turbación, el mismo azoramiento, la misma idea absurda de esconderse en un portal... Pero al fin, con el corazón dando saltos, decidió afrontar el encuentro: afirmó el paso, se estiró levemente los puños y se irguió. Y de refilón, todo tembloroso, la vio bajar los ojos y ruborizarse, turbada.

Volvió a casa en un extraordinario estado de exaltación. Sentía que la adoraba y su corazón desfallecía ante la deliciosa idea de estrecharla de nuevo entre sus brazos. Pero al mismo tiempo sentía unos celos furiosos e indefinidos, celos de otros hombres, de la calle, de los pasos que ella daba, de las palabras que podría decir, de las miradas que echaría a otros. La quería para sí, allí, bajo llave, entre aquellas paredes que eran suyas, en su habitación, en la prisión de sus brazos. Como no podía parar quieto en casa, salió casi a medianoche, y fue hasta Santa Isabel a contemplar las ventanas de Neto.

Luego, cuando regresó, le escribió una carta absurda, seis páginas de pasión, en las que se entremezclaban todavía, caóticamente, acusaciones violentas. Pero al releerla la encontró mal compuesta, insuficientemente amorosa. La rasgó.

Esa noche no durmió. Constantemente veía ruborizarse el bello rostro, bajar las pestañas... Sí, estaba, tal como había dicho Neto, más llena, más hermosa. ¡Oh, qué mujer más divina! ¡Y era *suya, su* mujer! Claramente, aquello no podía continuar así, aquella vida infeliz y solitaria.

Enero pasó sin que la volviese a ver. Y su pasión crecía. Ahora esperaba que el azar los uniese. Cada mañana imaginaba que el día no transcurriría sin encontrarse con ella por sorpresa, y estaba decidido a hablarle entonces.

En cierta ocasión que se encontró con Neto, le habló vagamente de los inconvenientes de aquella separación. Pero Neto se limitó a encogerse de hombros, con un aire de melancolía y dolor paternal. Era bien triste, pero qué se le iba hacer.

Más adelante, en el Martinho una tarde, Neto volvió a hablarle: le dijo que había reflexionado mucho y que estaba dispuesto a hacer un viajecito hasta el Miño para evitar habladurías...

Godofredo se quedó asombrado; no se contuvo:

—¡No será a mi costa! —murmuró.

Y dándole la espalda, se fue hacia su casa, furioso. Eran las siete; había una luna clara y fría. Llegaba ya a su portal cuando se dio de frente, en la acera, con Ludovina, que volvía a casa en compañía de su hermana.

Instintivamente, se bajó con rapidez de la acera y se apartó, pero volvió de inmediato con una inspiración, presuroso, y la llamó:

—¡Ludovina!

Ella se detuvo, espantada. Estaban junto a un colmado, bajo la luz de una farola, y se quedaron uno enfrente del otro, sin encontrar las palabras, confusos, con las mejillas completamente encendidas. Godofredo estaba tan turbado que ni saludó a la cuñada; ni siquiera la veía. Sus primeras palabras fueron absurdas:

—¿Así que te vas al Miño?

Ludovina le miró, atónita, y después a la hermana.

—¿Al Miño? —murmuró.

Y dijo él todo embarullado:

—Me lo dijo tu padre. Me pareció ridículo... Oh, Teresina, disculpe, no la había visto... ¿Lo ha pasado bien? Y tú, Ludovina, ¿lo has pasado bien?

Ella se encogió de hombros:

—Así, así...

Él la devoraba con los ojos; la encontraba adorable con aquella capa de felpa que él no conocía y que debía de ser nueva.

—Al parecer te divertiste mucho en Ericeira.

Ella esbozó una sonrisa amarga:

—¿Quién, yo? Bueno...

Y añadió con un ligero suspiro:

—Lo que he hecho es aburrirme y llorar...

Una ternura, una piedad inmensa, invadió a Godofredo, y con la voz trémula, casi llorando, balbuceó:

—Vaya, vaya...

Después añadió por las buenas, con un tono de intimidad, como si desde ese momento la reconciliación ya estuviese hecha:

—Pues las cosas no van bien allí en casa... Margarita se ha descuidado mucho. Y por cierto, te quería preguntar... ¿Cómo diablos se enciende la lámpara del escritorio, que no ha sido posible ponerla en condiciones?

Ella se rió; y Teresa también. Percibían claramente que de ahí en adelante Ludovina volvía a ser la mujer de Godofredo. Le dijo:

—Si quieres, voy a enseñarle a Margarita a arreglar eso.

Todo él fue un grito de alegría.

—¡Ven, ven! Teresina puede venir también. Será un momento.

Y subió delante, a la carrera, abrió la puerta, desfalleciendo de voluptuosidad al sentir el rumor de su falda escaleras arriba. Al oír las voces, Margarita había ido corriendo a abrir, y al ver a las señoras se quedó sin habla.

—¡Traiga acá la lámpara del escritorio! —gritó atolondradamente Godofredo.

Ludovina y su hermana entraron en el comedor, y siguieron de pie, con el sombrero puesto y las manos en los manguitos, mientras Godofredo, como alelado, corría a la cocina, luego entraba en el cuarto, después se precipitaba a encender las luces de la sala de visitas, donde no había gas.

Ludovina, entretanto, examinaba el comedor, el aparador, la alfombra, escandalizada de lo descuidado que estaba todo, y se detuvo a contemplar, indignada, el bonito frutero de cristal, que tenía un asa rota.

Godofredo se la encontró así.

—¡Ay! —exclamó él—. Esto va camino de un destrozo que ni te imaginas. Mira, ven para acá, ven a ver, ven a nuestra habitación…

Pasó él, y ella, con el rubor de una virgen que entra en la cámara nupcial, le siguió. Y apenas hubo entrado, se apoderó de ella, la arrastró hacia la alcoba del lavabo, y allí, a oscuras, violentamente, frenéticamente, la besó por los ojos, por el pelo, en el sombrero, hartándose de la suavidad de su piel, sintiéndose morir al contacto con aquel frescor que ella traía de fuera.

Ella le dijo en voz baja:

—¡No, no!; mira que Teresa…

—Mándala a casa; yo voy a llevarla —murmuró él—. Tú te quedas, mi amor; no nos separarán nunca más…

Y ella consintió con un beso.

IX

AL DÍA SIGUIENTE, en un momento de ternura, queriendo poner a su felicidad un marco más poético, Godofredo le propuso ir a pasar unos días a Sintra. Fue una nueva luna de miel. Se alojaban en el Lawrence, en el que tenían un pequeño salón sólo para ellos. Se levantaban tarde, bebían champán para desayunar y se besaban a escondidas, en los bancos bajo los árboles. Godofredo no dejaba a Ludovina ni un instante, ávido de gozar de nuevo aquella intimidad que él creía perdida, sintiendo el placer infinito de su presencia y de su amor.

Regresaron al cabo de cuatro días, y esta luna de miel aun se prolongó en Lisboa, plena y larga, sin una nube, sin reparar en gastos, con carruaje de alquiler y palco en el teatro de S. Carlos.

Godofredo quería mostrarse por todas partes con ella para tapar la boca de la gente.

En el S. Carlos reservaba siempre un palco de platea, bien a la vista, haciendo una demostración de su felicidad conyugal. Y como Ludovina, con los aires de Ericeira, había vuelto más lozana y vigorosa, magnífica con su robusta belleza de trigueña saludable, los hombres de la platea la observaban insistentemente, y siempre había algunos anteojos clavados en ella.

—Ya nos están mirando —decía Godofredo—. Están pasmados de vernos juntos… Pues que se enteren.

Y delante del palco, se estiraba lentamente los puños y sonreía a su Lulú.

Una de esas noches representaban *La Africana* por primera vez, y Ludovina, que durante la representación había estado torturada por un par de zapatitos nuevos, quiso salir antes del final del quinto acto. Godofredo transigió, a pesar del placer que le daban los trinos conmovedores de la Alteroni, bajo las ramas de los manzanillos, a la trágica luz de la luna llena. La ayudó, le ofreció el brazo y estaban esperando, en una esquina del atrio, un coche de alquiler cuando de repente apareció Machado, con un cigarro entre los dientes y poniéndose el abrigo. Seguro que él no les había visto, porque avanzaba a lo largo del atrio, con su leve balanceo al andar, resguardando la corbata blanca y acabando de abrocharse el abrigo. De pronto dio con ellos. Pareció dudar un segundo, se quedó confundido, pálido, con los dedos olvidados en los botones. Después, muy correcto, se quitó ceremoniosamente el sombrero. Desde dentro del capuchón de su capa blanca, ella hizo un ligero movimiento de cabeza, bajando los ojos, seria, impasible, inmóvil, con la larga cola de su vestido azul recogida en la mano. Y Godofredo, que tuvo un momento de indecisión, acabó por soltar bien alto un «Hola, Machado, buenas noches».

Machado se fue rápidamente.

Al día siguiente, cuando Godofredo llegó al despacho, Machado ya estaba sentado ante su mesa. Intercambiaron los saludos secos y habituales y Godofredo se puso a ordenar sus papeles y a leer la correspondencia. Luego le echó una ojeada distraída al periódico, evidentemente preocupado, con el pensamiento en otra parte. De pronto, se recostó en la silla, hizo crujir los dedos y preguntó a Machado:

—¿Qué le pareció ayer la Alteroni?

¡Era la primera vez que le dirigía una palabra ajena a los negocios! Machado se irguió, un poco nervioso, para responder:

—Me gustó mucho. ¿Y a usted? Buena voz, ¿eh?

Y estas palabras banales, apenas se dijeron, fueron como las puertas de un dique que se abre. Godofredo se irguió también y se estableció entre ellos un flujo de palabras, al principio vacilantes, pero que luego fueron entrando en calor y les acercaba de nuevo, formando una viva corriente de simpatía. Parecían dos amigos que se encuentran después de una larga ausencia; cada uno reconocía en el otro aquello que en él siempre había estimado: con un comentario jocoso sobre el tenor, Godofredo reventó de risa, y una observación de éste acerca del unísono de los violines interesó sobremanera a Machado, lo cual le llevó a pensar que realmente Godofredo era un gran entendido en música.

A continuación, Godofredo habló de la estancia en Sintra; y conversaron durante un rato sobre Sintra, expresando cada uno los lugares preferidos, la impresión que les causaba, como si después de aquella larga separación tuviesen la necesidad de cotejar sus ideas y sus respectivos gustos.

Por último, como Machado tenía que marcharse antes, el apretón de manos que se dieron al despedirse fue profundo, ardiente, el de una reconciliación completa, uniéndoles otra vez para siempre.

❧ ✿ ❧

NUEVAMENTE, la vida de Godofredo fue tranquila y feliz. En la Rua de S. Bento se introdujeron otra vez el orden y la alegría. Los huevos del desayuno ya no aparecían crudos o demasiado hechos, y por la noche el «Souvenir d'Andalousie» volvía a causar en Godofredo una vaga melancolía feliz de los vergeles de Granada. Y a cada momento la voz de ella, el frufrú de su vestido, bañaban de alegría su corazón.

Y así había pasado el invierno, y éste había dado paso a la primavera; comenzaban los primeros calores de marzo cuando cierta mañana, al ir a salir, Godofredo, en el pasillo, divisó entre dos puertas que Margarita le entregaba subrepticiamente, en secreto, una carta a Ludovina. Fue como si le arrojaran un pedrusco contra el pecho. Apenas atinaba con el cierre de la puerta. Se imaginó a otro hombre, a otro amante, y su felicidad, aquella felicidad tan laboriosamente reconstruida, agrietándose de nuevo por todas partes. Sintió un terror absurdo, como si fuese víctima de un hado, de un hado terrible y bestial, de la fatal incontinencia de la hembra.

Luego pensó que se trataría de nuevo de Machado y se le inyectaron los ojos de sangre. Se juró que esta vez no habría ni conferencias, ni consultas, ni testigos: entraría en el despacho y a quemarropa le metería una bala en el corazón.

Y en su agitación, sintiendo que no podría soportar mirar a la cara a Machado, no fue al despacho: vagó por la Baixa, siempre con la visión presente de la mano de la criada, el papel y el desconcierto de Ludovina. Entró en casa sombrío y taciturno. No podía estarse quieto, iba de una habitación a otra dando portazos, ahogado, sintiendo a su alrededor el aire cargado de engaños y traición. Ludovina, sin comprender, acabó preguntándole qué le ocurría.

—¡Nervios! —contestó él de malos modos.

E inmediatamente, cediendo a un impulso furioso, se giró hacia ella y declaró que estaba harto de misterios, que aquella vida era un infierno y que quería saber qué papel era ese que le había dado Margarita.

Ella le miró, espantada ante esa violencia y la voz estridente, y se llevó instintivamente la mano al bolsillo del vestido. Él se dio cuenta del gesto:

—¡Ah! ¡Tienes ahí la carta! Déjame verla…

Ella se ofendió ante esa muestra de desconfianza:

¿Comenzaban de nuevo las sospechas, las preguntas? ¿O qué? ¿Es que no podía recibir ella una nota sin que él metiera la nariz?

Godofredo, pálido, con los puños apretados, gritó:

—¡O me das la carta o te mato!

Ella se quedó blanca, le llamó maleducado y se tiró sobre el sofá llorando, con las manos en la cara.

—¡Dame la carta! —gritaba él de puntillas—. ¡Dame la carta! Esta vez no será como la otra… ¡Te vas a un convento! ¡Te mato!

Y no esperó una respuesta. Se precipitó sobre ella, le retorció un brazo, le rasgó el vestido, se apoderó de la carta… Pero no distinguía la letra. Eran unos garabatos sin ortografía en un pedazo de papel pautado. Empezaba «Mi querida señora», e iba firmada por «Maria do Carmo»; hablaba de una limosna, de que el pequeño estaba mejor y de que no dejarían de rezar unas oraciones por aquella ayuda…

Trémulo, abatido, humillado, con el papel en la mano, Godofredo fue a sentarse al lado de Ludovina, que lloraba con la cabeza entre las manos. Y pasándole el brazo por la cintura, balbuceó:

—Está bien, ya veo que no es nada… Disculpa… Dime, ¿de qué se trata?

Ella le rechazó y se puso en pie toda ofendida. ¿Estaba satisfecho? Había leído la carta, ¿eh? Se trataba de un hombre, ¿no?

Él balbuceó avergonzado:

—También es que todos esos misterios…

Y como ella seguía de pie, hermosa, limpiándose los ojos y ahogando los sollozos, él no se reprimió, tuvo la necesidad de humillarse, cayó de rodillas y, con las manos juntas, murmuró:

—Perdón, Luluciña, fue una tontería mía…

Y ella, dando un profundo suspiro, le golpeó suavemente en la cara con las puntas de los dedos.

Enternecido, casi llorando también, Godofredo le besó las manos, se abrazó a sus rodillas y finalmente se levantó con esfuerzo, agarrado a su falda, y le cubrió el cuello de besos.

Y aun emocionados los dos, entre abrazos, ella le contó la historia de las limosnas secretas que daba. Era una pobre chica que había conocido en Ericeira y que un granuja había seducido y abandonado con dos niños, uno de pecho todavía.

—Pero, ¿por qué tanto misterio? —insistía, conmovido y apasionado.

Ella le confesó que ya le había dado más de cinco mil reales, y tenía miedo de que él lo encontrara extravagante.

La alegría que sentía Godofredo era tan viva, que exclamó:

—¡Cómo que extravagancia! Dale otros cinco mil... de mi parte.

Y todo terminó en un beso.

Sólo entonces se acordó Godofredo de sus sospechas de por la mañana y de su cólera contra Machado: ¡había pensado otra vez en matarlo! Ahora sentía la necesidad de volver a verlo, de darle un largo apretón de manos y prometerle en ese momento una mayor amistad, una especie de gratitud que le enternecía.

Al día siguiente, cuando entró en el despacho, no se contuvo y, sin motivo aparente, abrazó a Machado.

Éste correspondió al abrazo del socio sin extrañarle esa efusión, pero de un modo, con un decaimiento, un abandono triste, que sorprendieron a Godofredo. Y su sorpresa fue mayor cuando reparó en que Machado tenía los ojos rojos, como si hubiese llorado.

—Es por mi madre; está muy mal —dijo Machado respondiendo a la pregunta del socio.

Y Alves, con su alegría interrumpida por aquel dolor, sólo pudo murmurar:

—¡Diablos!

En efecto, era cosa del diablo. El médico no daba esperanzas. La pobre señora sufría complicaciones de hígado, riñones y corazón que parecían confluir ahora en un desarreglo vital absoluto.

El día anterior había tenido un desmayo de dos horas. Él pensó que había muerto; y esa misma mañana tenía una mejoría extraordinaria de la que él desconfiaba.

Y el pobre Machado suspiraba al decir esto. El amor a su madre había sido siempre su sentimiento más intenso; ambos habían vivido siempre juntos; por ella, él nunca se había querido casar, y ahora esa pérdida parecía llevarse de su vida todo cuanto le era querido...

—Dios no ha de querer una desgracia —murmuró Godofredo conmovido.

Machado encogió los hombros con desánimo, y un momento después se marchó, para volver junto a su pobre madre enferma.

Todos los días, hasta tres y cuatro veces, Godofredo iba a casa de Machado para tener noticias. La pobre mujer empeoraba. Afortunadamente no sufría, y sus últimos días eran reconfortados por aquel amor con que el hijo la envolvía, sin apartarse un instante del lecho, disimulando su dolor y ocultando su palidez, animándola, haciendo planes y hablando de ir al campo e incluso bromeando, como en los buenos tiempos.

Una tarde Godofredo se acercó hasta allí para tener noticias. La criada le recibió con el delantal en los ojos: la señora había muerto hacía una hora, como un pajarillo.

Entró, y Machado se echó en sus brazos bañado en lágrimas.

Godofredo ya no se apartó de su lado. Pasó la noche junto a él; se ocupó del entierro, de las invitaciones, de la compra de un terreno en el alto de S. João. Al día siguiente, en la solemnidad de los pésames, los más allegados le daban apretones de mano tan sentidos, tan silenciosos, como al propio

Machado, pues reconocían en él, más que a un amigo, casi a un hermano.

El entierro fue concurrido. Había más de veinte carruajes; Godofredo llevaba la llave del ataúd, y en el cementerio dirigió la ceremonia, invitó a los amigos más íntimos a transportar el féretro, cuchicheó con los curas, se prodigó, y cuando el ataúd bajó al foso, las únicas lágrimas que lo acompañaron fueron las de él.

Al día siguiente Machado partió para Vila Franca, a casa de una tía, y Godofredo le llevó a la estación, se ocupó del equipaje y lloró una vez más abrazado a él.

Pasados quince días, regresó Machado. Ocupó de nuevo su mesa en el despacho de seda verde. No parecía el mismo. Estaba más sereno, aunque tan triste en su luto que Godofredo, un romántico siempre, pensó para sus adentros que aquellos labios nunca más volverían a sonreír.

Más tarde, viendo que se demoraba en el trabajo, sin ganas de irse a casa, a la casa ahora vacía, a cenar ahora a solas, tuvo uno de sus bruscos impulsos bondadosos: olvidándolo todo, abrió los brazos a Machado:

—¡Lo pasado, pasado está! ¡Ven a cenar con nosotros!

Y ni le dejó dudarlo; prácticamente le puso el abrigo, le arrastró escaleras abajo, llamó a un coche, le empujó para dentro y le llevó triunfante a la Rua de S. Bento.

Machado, durante todo el camino, no dijo nada, temiendo aquel encuentro, palideciendo, buscando alguna palabra natural que decir al llegar.

Ya en la escalera oyeron el sonido del piano, y al poco, Godofredo, introduciendo la cabeza entre las cortinas de la puerta, exclamó radiante:

—Ludovina, aquí te traigo un invitado.

Ella se levantó, y se encontró de pronto frente a Machado, quien se inclinaba hondamente, disfrazando su turbación en las profundidades de aquella cortesía.

Ella se puso roja, pero su voz salió clara y firme cuando le extendió la mano y le dijo:

—¿Cómo está, señor Machado? ¿Llegó bien?

Él balbuceó unas palabras ininteligibles y permaneció de pie, frotándose las manos despacio, mientras que Ludovina disipaba aquella situación embarazosa con una infinidad de palabras, contando a Godofredo la visita que había recibido de unos tal Mendoza —el matrimonio con su pequeño—, vivamente, nerviosa, con las orejas ardiendo.

A continuación se apresuró a salir para dar unas órdenes.

Cuando se quedaron solos, Godofredo pronunció estas palabras profundas:

—Cuando hay buena educación, todo acaba siempre bien.

Al poco volvió Ludovina, más serena, y que seguramente se había dado en la cara una capa de polvos de arroz. Machado se había sentado en el famoso sofá amarillo y quiso levantarse para cederle el sitio; pero ella no lo consintió y se sentó al lado, en el sillón, y como si quisiera enmendar un olvido, se apresuró a decir de carrerilla, como quien recita una lección:

—Sentí mucho la pérdida que usted…

Él se inclinó para murmurar unas palabras, pero acudió Godofredo exclamando:

—¡De eso no se habla ahora! Deben aceptarse los designios de Dios; punto.

Pero una sombra había pasado por el rostro conmovido de Machado y un tibio soplo de tristeza flotó en la estancia.

Y esa tristeza, súbitamente, les hizo incomodarse. Era como si Machado, con aquel pesado luto, la mala salud de la madre, el túmulo todavía reciente, no fuese el mismo que allí había bebido vasos de oporto con ella entre los brazos, sobre el sofá amarillo. Era otro Machado, un muchacho serio, traspasado por un dolor que era preciso consolar, envejecido, incompatible con las aventuras amorosas.

Ludovina le encontraba cambiado, y mirándole, ni se acordaba de cómo había sido en otro tiempo; por su parte, Machado la encontraba tan extraña como si fuera la primera vez que la viera en aquella casa.

El marido olvidaba. Ellos olvidaban también. Y acabaron por mirarse mutuamente y hablar con naturalidad, sin embarazo, ella diciendo «señor Machado» y él respondiendo «señora», fríamente; se había terminado para siempre el estremecerse cuando estaban uno en frente del otro, sin conmoverse ya, como dos carbones apagados.

Y la cena fue tranquila, apacible, íntima, casi alegre.

Y LA VIDA continuó, banal y corriente, tal como es.

El luto de Machado acabó. Volvió a frecuentar los teatros, tuvo otras amantes, enamoró a otras mujeres.

Más tarde, Neto se murió de repente de apoplejía dentro de un ómnibus, y Teresina se fue a vivir con su hermana.

Al cabo de dos años, Machado se casó con una de las Cantanhede, por la que había concebido una pasión absurda, frenética, que no podía esperar, y que les llevó a concluir el noviazgo, el ajuar, la licencia de matrimonio y la boda, todo, en el plazo de un mes.

Hubo un baile. Ludovina apareció con un hermoso vestido, pero no bailó.

Un año después, la pobre Cantanhede murió de parto, y de nuevo Machado lloró, anegado de lágrimas, en los brazos de Godofredo. De nuevo Godofredo recibió la llave del ataúd y dio apretones de mano sentidos y silenciosos durante los pésames.

Esta vez le ayudó Ludovina, llorando también, porque ella y la pobre Cantanhede eran íntimas amigas, se pasaban el día juntas, no se separaban, y su dolor era tan grande como el del infeliz Machado

♣✿♣

Y LA VIDA continuó, banal y corriente, tal como es.

A los dos años Machado tenía por amante a una actriz del teatro Ginásio.

Por esa época hubo un disgusto en casa de los Alves: la boda de Teresina, en contra de la voluntad de su hermana y su cuñado, con un empleado de Aduanas, un imbécil insignificante y sin un céntimo que había seducido a la chica por ser pálido y rubio como una espiga. Fue preciso casarlos, porque Teresina adelgazaba y amenazaba con tirarse por la ventana; además de otros temores…

Pasaron los meses, los años. La firma Alves & C.ª crecía, se enriquecía. El despacho, ahora más grande, más lujoso, con seis cajeros, estaba en una esquina de la Rua da Prata.

Godofredo estaba más calvo. Ludovina engordaba. Tenían coche propio y en verano iban a Sintra.

Machado se casó otra vez, con una viuda: un casamiento inexplicable, porque la viuda ni era bonita ni era rica; únicamente tenía unos ojos extraordinarios, muy negros, con largas pestañas, y una mirada llena de languidez. Fue una boda sin ostentación y los novios partieron hacia París.

Volvieron. Se fueron a vivir cerca de los Alves, que se habían mudado a un palacete de la Rua de Buenos Aires. Y otra gran amistad nació entre Ludovina y la mujer de los ojos lánguidos.

Hoy día las dos familias viven una junto a la otra, y una al lado de la otra van envejeciendo.

Por el cumpleaños de Ludovina hay siempre un gran baile, y siempre, imposible de separar de ese día, viene a la memoria de Alves aquel otro aniversario en que él entró en casa y vio en el sofá amarillo…

¡Cuánto tiempo hace de eso!

Y ese recuerdo, ahora, sólo le hace sonreír. Y también le hace pensar: porque en ese hecho permanece el gran acontecimiento de su vida, y generalmente de él acostumbra a extraer su filosofía y sus reflexiones habituales.

Como le dice muchas veces a Machado: «¡Qué cosa tan prudente es la prudencia!».

Si el día del sofá amarillo se hubiera dejado llevar por la cólera, o si hubiera persistido después en sus ideas de venganza y rencor, ¿qué habría sido de su vida?

Estaría separado de su mujer; se habría roto su amistad íntima y comercial con el socio; la compañía no habría prosperado, ni habría aumentado su fortuna; su modo de ser habría sido el de un solterón amargado, dependiente de criadas, y quizá viviría mancillado por el libertinaje.

En esos largos treinta años que habían pasado, cuántas cosas hermosas se habría perdido, cuánto placer hogareño, cuánto bienestar, cuántas veladas familiares, cuántas satisfacciones procuradas por la amistad, cuántos días de paz y de honra.

A estas alturas estaría viejo, deteriorado, ¡y aquella mancha de su pasado le abrasaría continuamente el alma!

Pero, así, ¡qué diferencia!

Había abierto los brazos compasivos a la mujer culpable y al amigo desleal; y con este simple abrazo, había hecho de su mujer una esposa perfecta para siempre, y de su amigo, un corazón fiel.

Y allí estaban ahora, todos juntos, unidos, respetables, serenos, felices, envejeciendo con camaradería en medio de la paz y la riqueza.

A veces, pensando en esto, Alves no podía dejar de sonreír con satisfacción. Toca entonces en el hombro de su amigo, le recuerda lo pasado y le dice con una sonrisa:

—¡Y pensar que estuvimos a punto de batirnos! La gente, de joven, siempre es muy imprudente… ¡Y todo por una tontería, amigo Machado!

Y el otro contesta, sonriendo también:

—¡Por una gran tontería, Alves amigo!

POSFACIO

POSFACIO

EL ESCRITOR PORTUGUÉS José Maria Eça de Queirós (Póvoa de Varzim, 1845-París, 1900) comparte con otros grandes narradores de su época la pasión *bovariana*, en acertada definición de José Gimeno, uno de sus recientes traductores al español. Es decir, parte de su obra está marcada por el adulterio, que en sus dos títulos más celebrados, *El primo Basilio* y *Los Maia*, desemboca en tragedia.

A la moda de Flaubert, al que Eça leyó con pasión durante el viaje que realizó en 1863 a Egipto con motivo de la inauguración del Canal de Suez, las protagonistas engañan a sus maridos, provocando la autodestrucción de la pareja-familia, que suele coincidir con la de la felicidad.

Alves & C.ª se apunta también al *bovarismo*, pero por primera vez el adulterio sortea el drama y, con irónico sentido del humor, el autor resuelve el trago con un final feliz, lo que salva a la novela del tinte antañón que pesa sobre gran parte de la literatura del siglo XIX y la aproxima a la sensibilidad con que mira la vida el lector de hoy en día. Y por eso, entre otras cosas, puede que este título de Eça de Queirós sea el más actual de todos los que salieron de su pluma o de la famosa maleta de hierro de donde su hijo —tal y como cuenta en la nota previa a esta edición— extrajo las obras póstumas que daría a la imprenta vencido el primer cuarto del siglo XX, veinticinco años después de la muerte de su padre.

Otro de los aspectos que acercan a *Alves & C.ª* al momento literario actual es su desnudez o, más precisamente, el empleo de la elipsis para hacer avanzar el relato, sin concesiones barrocas al paisajismo exterior de los escenarios elegidos ni al interior de los personajes. También elude las digresiones sociopolíticas que enfrentan a los protagonistas de los *Maia*, pero sin renunciar a describir con pinceladas expresionistas la tipología de la burguesía portuguesa de su época y el ambiente de grandes cambios en el que se encuentra inmerso su país, que, como toda la Europa del XIX, miraba con tanta envidia como recelo la revolución constitucional parisina de 1848.

En *Alves & C.ª* están el realismo de Balzac y el naturalismo de Zola, pero la ironía y el humor son de Eça, que aquí parece empeñado en dar un paso por delante de sus dos maestros, a los que conoció y admiró durante su etapa como cónsul de Portugal en París.

Porque Eça de Queirós escribió la mayoría de sus novelas desde el extranjero. A partir de 1870, su ingreso en la carrera diplomática como cónsul de primera clase le iría alejando físicamente de su tierra, a la que sólo volvería durante períodos vacacionales. Gracias a ello enriqueció su perspectiva sobre la realidad portuguesa, que fue siempre la patria de sus novelas.

Su primer destino sería La Habana, todavía provincia española, al que seguirían Newcastle-on-Tyne, Bristol y París, por fin París, en donde moriría de tuberculosis tras un largo sufrimiento agravado por el suicidio de su amigo y mentor Antero de Quental.

Antero había protagonizado en su juventud una agria polémica desde la universidad de Coimbra, en defensa de la renovación cultural portuguesa, acercándola a la realidad de las transformaciones sociales. Ideas llegadas desde el exterior, a bordo de la reciente línea de ferrocarril París-Coimbra inaugurada en 1863. Desde la capital francesa, según confesión del propio Eça, se acercaron en tren hasta Portugal los libros de Michelet, Hegel, Proudhon, Víctor Hugo, Balzac, Heine, Poe y hasta Charles Darwin, que había dado una bofetada científica a Occidente con su teoría sobre el origen de las especies.

Antero y Eça eran esponjas que acudían a la estación para alimentarse de pensamientos que influían en cada uno de ellos de diferente forma: Antero desarrolló un fatalismo poético que culminaría en su suicidio y Eça un afán por transformar la sociedad de su tiempo a través de la literatura.

Ambos participaron activamente en 1871 en las «Conferências Democráticas» del casino de Lisboa que, bajo la influencia de Proudhon, intentaban insertar a Portugal en los movimientos sociales europeos. No es de extrañar la curiosidad que despertó Antero entre los escritores españoles de la Generación del 98, interés que también se hizo extensivo a Eça de Queirós de quien Valle-Inclán llegó a traducir algún libro.

En las «Conferências», que acabarían siendo prohibidas, Antero disertó sobre las *Causas de la decadencia de los pueblos peninsulares*, que halló en el catolicismo trentino y el absolutismo. Eça pronunció la cuarta y última conferencia permitida sobre *El realismo como nueva expresión del arte*. Defendía por primera vez en Portugal las estéticas del realismo y el naturalismo, en contraposición con el romanticismo que había dominado sus primeras obras.

A esa etapa realista abierta a partir de las «Conferências» se adscriben sus novelas *El crimen del padre Amaro*, *El primo Basilio* y *Alves & C.ª*, que mantiene inédita y, al parecer, según concluye Juan Lázaro, traductor de esta edición, sin esa última corrección que todo autor realiza antes de entregar su obra a la imprenta, lo que en ningún modo afecta al mecanismo relojero de su estructura.

Hay muchos *eças*. El cansancio que produce en Europa el realismo en las últimas décadas del XIX se hará patente en *Los Maia*, que empieza a escribir en 1880 y tardará en acabar ocho años. En ella, su autor viste su prosa de mayor ampulosidad y salta hacia el simbolismo, que convierte a la familia que da título a la novela en una imagen de la evolución de la burguesía portuguesa, donde el conservadurismo del abuelo se enfrenta a las ansias de cambio que sienten su nieto y los variopintos amigos de éste.

Es curioso que tanto en esta obra como en el resto de las que componen la producción de Eça, incluida *Alves & C.ª*, tenga tanto protagonismo la cultura, concebida no sólo como distracción sino también como reflejo de la penetración de la renovación de las ideas procedentes de Europa en la actividad social cotidiana. Con su ironía característica, Eça se ríe del viejo teatro lisboeta, de las óperas rancias y los poetastros. Y sus personajes más audaces y liberales delatan esta condición a través de sus gustos literarios y musicales.

Durante el largo parto de *Los Maia,* entrega a sus lectores entretenimientos como *El mandarín* (1880) y *La reliquia* (1887), que coinciden con *Alves & C.ª* en su talante irónico, aunque adolecen de un exceso de espiritualidad —abiertamente crítica con el ideario católico en el caso de *La reliquia*— que lastran el resultado final.

Si es cierto que hay muchas etapas en Eça, indudablemente, su pasión por el estilo y la calidad de su esfuerzo en este sentido propician una voz personal que, en opinión de Juan Lázaro, permite aseverar que existe una literatura portuguesa anterior y posterior a Eça de Queirós, como si hubiera estado predestinado a sacar del rancio baúl del pasado un modo de escribir que aun sigue vivo en nuestros días.

Él llegó a confesar su ambición por crear «una prosa que fuese algo aterciopelado, cristalino, ondeante, marmóreo, que realizase de por sí, plásticamente, una absoluta belleza». Y lo consiguió, porque el tiempo, que es el crítico más severo e imparcial con todo texto literario, le ha respetado como sólo hace con los grandes clásicos.

La perfección de su adjetivación, capaz de recrear atmósferas y definir tipos humanos con una sola palabra, la maestría con que oculta la voz del autor, para ceder a los personajes protagonistas y secundarios el desarrollo de la acción narrativa y su capacidad para encerrar el mundo que él conoció en las páginas de un libro, describiendo desde la pequeña Lisboa del XIX una realidad universal, hacen de Eça de Queirós y, en concreto de *Alves & C.ª,* una piedra angular de la mejor tradición novelística.

Renovador y vitalista, ni siquiera la precaria salud de sus últimos años, ni la decepción ante la resistencia de la realidad a cambiar, empujada por las nuevas ideas sociales que él había hecho suyas, le impidieron al final de su vida fundar la importante *Revista de Portugal*, con la que entre 1889 y 1892 se esforzó por mantener un enlace desde su voluntario exilio diplomático con los países de lengua portuguesa.

Sus compatriotas son los primeros que no le han olvidado. A la espalda de la Plaça de Camões, en pleno barrio del Chiado y muy cerca del café en cuya terraza permanece sentado en bronce el poeta Pessoa, el Ayuntamiento de Lisboa ha erigido una estatua donde Eça de Queirós sostiene en sus brazos una mujer desnuda. En la placa conmemorativa, bajo el lema «Verdade», se lee una cita del autor de *Alves & C.ª*: «Sobre a nudez forte da verdade o manto diaphano do phantasia».[3]

Jesús Egido

---

[3] «Sobre la dura desnudez de la verdad, el manto diáfano de la fantasía».

El papel utilizado para la impresión de este libro
ha sido fabricado a partir de madera
procedente de bosques y plantaciones
gestionados con los más altos estándares ambientales,
garantizando una explotación de los recursos
sostenible con el medio ambiente
y beneficiosa para las personas.
Por este motivo, Greenpeace acredita que
este libro cumple los requisitos ambientales y sociales
necesarios para ser considerado
un libro «amigo de los bosques».
El proyecto «Libros amigos de los bosques» promueve
la conservación y el uso sostenible de los bosques,
en especial de los Bosques Primarios,
los últimos bosques vírgenes del planeta.

Papel certificado por el Forest Stewardship Council®